ビジネス・キャリア®検定試験 過去問題集

過去問題集

解説付き

BUSINESS CAREER

生産管理 オペレーション

2級

渡邉　一衛　●監修

ビジネス・キャリア®検定試験研究会　●編著

一般社団法人 雇用問題研究会　●発行

●はじめに

　ビジネス・キャリア®検定試験（ビジキャリ）は、技能系職種における技能検定（国家検定）と並び、事務系職種に従事する方々が職務を遂行するうえで必要となる、専門知識の習得と実務能力の評価を行うことを目的とした中央職業能力開発協会（JAVADA）が行う公的資格試験です。

　ビジキャリは、厚生労働省が定める事務系職種の職業能力評価基準に準拠しており、人事・人材開発・労務管理、経理・財務管理から、営業・マーケティング、経営戦略、さらには、生産管理、ロジスティクスまで、全8分野の幅広い職種をカバーしていることから、様々な目的に応じた自由度の高いキャリア形成・人材育成が可能であり、多くの方々に活用されております。

　本書は、過去にビジネス・キャリア®検定試験で実際に出題された、生産管理オペレーション2級の問題から150問をピックアップし、正解を付して解説を加えたものです。

　受験者の方々が、学習に際して本書を有効に活用され、合格の一助となれば幸いです。

　最後に、本書の刊行にあたり、ご多忙の中ご協力いただきました関係各位に対し、厚く御礼申し上げます。

　令和元年9月

一般社団法人 雇用問題研究会

ビジネス・キャリア®検定試験 過去問題集 解説付き

生産管理オペレーション 2級

・もくじ

●標準テキスト及び試験範囲と本書に掲載されている試験問題の対応表

生産管理オペレーション2級

【作業・工程・設備管理】

			標準テキスト（第3版）
第1章 作業管理	第1節 作業管理	1	作業管理の意義
		2	作業管理の構成
	第2節 作業設計	1	工程編成と作業設計
		2	治工具と動作・作業設計
		3	部品供給と作業設計
	第3節 作業標準	1	作業標準の意義
		2	作業標準の設定
		3	作業手順書の作成
	第4節 標準時間	1	標準時間の意義
		2	標準時間の構成
		3	標準時間の設定法
		4	標準時間の利用
	第5節 作業統制	1	作業方法・時間・条件の管理
		2	技能・性能の管理
	第6節 作業指導	1	作業指導の考え方
		2	教育訓練計画
		3	教育訓練の方法
	第7節 作業環境の設計	1	労働安全衛生管理と環境マネジメント
		2	作業環境の考え方
		3	空気調和
		4	騒音・振動
		5	照明
		6	ガス・化学物質
		7	休養に関する規則
第2章 職場の改善	第1節 職場の改善の進め方	1	改善の考え方
		2	改善のアプローチ
		3	改善の原則
	第2節 目標管理	1	目標の設定
		2	目標達成と評価
	第3節 能率管理	1	能率管理と総合能率
		2	能率管理と改善
	第4節 工程編成（生産方式）の改善	1	工程編成の適正化
		2	ライン生産方式と改善
		3	グループ生産方式の改善
		4	他の生産方式と改善
	第5節 職場レイアウトと改善	1	職場レイアウトの考え方と決定要因
		2	運搬の合理化
	第6節 作業評価の進め方	1	作業評価の考え方と構成
		2	作業評価の種類
		3	作業評価の基本手順

8ページに続く

＊標準テキストおよび試験範囲は改訂されている場合があります。最新の情報はこちら
（http://www.koyoerc.or.jp/publication/businesscareer/table.html）をご確認ください。

試験範囲（出題項目）			本書の問題番号
F　作業管理	1　作業管理	1　作業管理の意義	
		2　作業管理の構成	
	2　作業設計	1　工程編成と作業設計	1〜2
		2　治工具と動作・作業設計	3
		3　部品供給と作業設計	
	3　作業標準	1　作業標準の意義	
		2　作業標準の設定	
		3　作業手順書の作成	
	4　標準時間	1　標準時間の意義	4
		2　標準時間の構成	5
		3　標準時間の設定法	6
		4　標準時間の利用	7
	5　作業統制	1　作業方法・時間・条件の管理	8
		2　技能・性能の管理	9
	6　作業指導	1　作業指導の考え方	10
		2　教育訓練計画	11
		3　教育訓練の方法	
	7　作業環境の設計	1　労働安全衛生管理と環境マネジメント	12
		2　作業環境の考え方	
		3　空気調和	13
		4　騒音・振動	
		5　照明	
		6　ガス・化学物質	
		7　休養に関する規則	
G　職場の改善	1　職場の改善の進め方	1　改善の考え方	14
		2　改善のアプローチ	
		3　改善の原則	15
	2　目標管理	1　目標の設定	16
		2　目標達成と評価	
	3　能率管理	1　能率管理と総合能率	17
		2　能率管理と改善	
	4　工程編成（生産方式）の改善	1　工程編成の適正化	18
		2　ライン生産方式と改善	
		3　グループ生産方式の改善	19
		4　他の生産方式と改善	
	5　職場レイアウトと改善	1　職場レイアウトの考え方と決定要因	20
		2　運搬の合理化	21
	6　作業評価の進め方	1　作業評価の考え方と構成	22
		2　作業評価の種類	23
		3　作業評価の基本手順	24

9ページに続く

7

標準テキスト（第3版）			
第3章 工程管理（オペレーション）	第1節　工程管理	1　工程管理の目的と流れ 2　工程管理の構成と管理目的 3　生産統制と緩衝機能	
	第2節　手順計画	1　手順計画の管理業務 2　生産方法の設定 3　標準時間の設定	
	第3節　工数計画	1　工数計画と日程計画 2　負荷（負荷工数）と生産能力の工数換算 3　負荷と生産能力の調整	
	第4節　日程計画	1　日程計画の意義 2　基準日程計画 3　計画の基本的な立て方 4　日程計画の技法	
	第5節　材料計画	1　部品構成表 2　部品展開 3　部品所要量計算	
	第6節　生産管理システム	1　基本システム 2　かんばん方式 3　MRP（資材所要量計画）システム	
	第7節　工程管理と情報システム	1　工程管理に必要な情報 2　工程管理情報の伝達 3　工程管理の電子化	
第4章 設備管理	第1節　設備管理	1　設備管理の意義 2　設備管理の構成 3　生産保全	
	第2節　故障	1　故障率、寿命特性曲線 2　アベイラビリティ	
	第3節　信頼性・保全性設計	1　信頼性設計 2　保全性設計	
	第4節　保全活動	1　保全標準の作成と記録 2　保全周期と取替方式 3　基準器・計測器の管理	
	第5節　保全組織	1　保全組織の確立 2　設備保全の要員対策	
	第6節　経済性評価	1　経済性分析の考え方 2　資金の時間換算 3　代替案からの選択	

＊標準テキストの章立てについては、学習のしやすさ、理解促進を図る観点から、一部、試験範囲の項目が組替・包含されている場合等があります。

試験範囲（出題項目）			本書の問題番号
H 工程管理（オペレーション）	1 工程管理	1 工程管理の目的と流れ	25
		2 工程管理の構成と管理目的	
		3 生産統制と緩衝機能	26
	2 手順計画	1 手順計画の管理業務	
		2 生産方法の設定	
		3 標準時間の設定	27
	3 工数計画	1 工数計画と日程計画	28
		2 負荷（負荷工数）と生産能力の工数換算	29
		3 負荷と生産能力の調整	30
	4 日程計画	1 日程計画の意義	
		2 基準日程計画	31
		3 計画の基本的な立て方	32
		4 日程計画の技法	
	5 材料計画	1 部品構成表	33
		2 部品展開	34
		3 部品所要量計算	
	6 生産管理システム	1 基本システム	35
		2 かんばん方式	
		3 MRP（資材所要量計画）システム	36
	7 工程管理と情報システム	1 工程管理に必要な情報	
		2 工程管理情報の伝達	37
		3 工程管理の電子化	38
I 設備管理	1 設備管理	1 設備管理の意義	
		2 設備管理の構成	39
		3 生産保全	40〜41
	2 故障	1 故障率、寿命特性曲線	42
		2 アベイラビリティ	
	3 信頼性・保全性設計	1 信頼性設計	43
		2 保全性設計	44
	4 保全活動	1 保全標準の作成と記録	45
		2 保全周期と取替方式	46
		3 基準器・計測器の管理	
	5 保全組織	1 保全組織の確立	47
		2 設備保全の要員対策	
	6 経済性評価	1 経済性分析の考え方	
		2 資金の時間換算	48〜50
		3 代替案からの選択	

＊試験範囲の詳細は、中央職業能力開発協会ホームページ（https://www.javada.or.jp/jigyou/gino/business/seisan.html）をご確認ください。

●標準テキスト及び試験範囲と本書に掲載されている試験問題の対応表

生産管理オペレーション2級

【購買・物流・在庫管理】

		標準テキスト（第2版）	
第1章 資材・在庫管理	第1節　資材管理	1　資材管理の意義 2　資材管理の業務 3　資材計画の重要性	
	第2節　購買管理	1　購買方針と購買計画 2　購買方式 3　購買の調査・分析	
	第3節　外注管理	1　外注利用の目的 2　外注品の品目形態 3　外注先の選定と外注価格 4　外注先への発注方式 5　外注先の管理・指導 6　外注の品質管理	
	第4節　在庫管理	1　在庫の機能と種類 2　発注方式と適用 3　経済的発注量 4　流動数分析 5　生産管理システムと在庫	
	第5節　資材の標準化と価値工学（VE）	1　資材の標準化 2　開発購買 3　価値工学（VE）	
	第6節　資材・在庫管理と情報システム	1　資材・在庫管理に必要な情報 2　資材・在庫管理情報の伝達 3　資材・在庫管理の電子化	
	第7節　関連法規	1　下請法 2　外注取引契約	
第2章 運搬・物流管理	第1節　物流管理	1　物流管理の意義 2　現代の物流問題 3　SCMと物流	
	第2節　物流サービス	1　物流サービスの考え方 2　物流サービスの対策	
	第3節　物流拠点	1　物流拠点の種類 2　複合ターミナルと物流拠点	
	第4節　物流効率	1　物流標準化 2　物流効率の管理指標 3　物流コストへの影響要因	
	第5節　運搬・物流管理と情報システム	1　配送・運搬・物流管理に必要な情報 2　配送・運搬・物流管理情報の伝達 3　配送・運搬・物流管理の電子化	
	第6節　社会と物流	1　交通災害・大気汚染 2　迷惑施設・廃棄物 3　物流における問題への対応	

＊標準テキストの章立てについては、学習のしやすさ、理解促進を図る観点から、一部、試験範囲の項目が組替・包含されている場合等があります。

＊標準テキストおよび試験範囲は改訂されている場合があります。最新の情報はこちら
（http://www.koyoerc.or.jp/publication/businesscareer/table.html）をご確認ください。

試験範囲（出題項目）				本書の問題番号
F　資材・在庫管理	1　資材管理	1	資材管理の意義	1〜2
		2	資材管理の業務	
		3	資材計画の重要性	
	2　購買管理	1	購買方針と購買計画	3
		2	購買方式	4〜6
		3	購買の調査・分析	7
	3　外注管理	1	外注利用の目的	8
		2	外注品の品目形態	9
		3	外注先の選定と外注価格	10
		4	外注先への発注方式	11
		5	外注先の管理・指導	12
		6	外注の品質管理	13
	4　在庫管理	1	在庫の機能と種類	14
		2	発注方式と適用	15
		3	経済的発注量	16
		4	流動数分析	17
		5	生産管理システムと在庫	18〜19
	5　資材の標準化と価値工学（VE）	1	資材の標準化	20
		2	開発購買	
		3	価値工学（VE）	21〜22
	6　資材・在庫管理と情報システム	1	資材・在庫管理に必要な情報	23
		2	資材・在庫管理情報の伝達	
		3	資材・在庫管理の電子化	24
	7　関連法規	1	下請法	25〜26
		2	外注取引契約	27〜28
G　運搬・物流管理	1　物流管理	1	物流管理の意義	29
		2	現代の物流問題	30〜31
		3	SCMと物流	32〜33
	2　物流サービス	1	物流サービスの考え方	34
		2	物流サービスの対策	35
	3　物流拠点	1	物流拠点の種類	36〜37
		2	複合ターミナルと物流拠点	38〜39
	4　物流効率	1	物流標準化	40
		2	物流効率の管理指標	41〜42
		3	物流コストへの影響要因	43
	5　運搬・物流管理と情報システム	1	配送・運搬・物流管理に必要な情報	
		2	配送・運搬・物流管理情報の伝達	44
		3	配送・運搬・物流管理の電子化	45〜47
	6　社会と物流	1	交通災害・大気汚染	48〜49
		2	迷惑施設・廃棄物	50
		3	物流における問題への対応	

＊試験範囲の詳細は、中央職業能力開発協会ホームページ（https://www.javada.or.jp/jigyou/gino/business/seisan.html）をご確認ください。

●標準テキスト及び試験範囲と本書に掲載されている試験問題の対応表
生産管理オペレーション2級

【共通問題】

標準テキスト（初版）		
第1章 品質管理	第1節　品質管理の考え方	1　品質の計画 2　品質の作り込み
	第2節　統計的手法	1　統計的手法 2　統計的手法と改善 3　仮説検定 4　実験計画法 5　信頼性
	第3節　検査	1　検査の目的と種類 2　全数検査と抜取検査 3　検査と異常処理 4　品質工程図（QC工程表） 5　抜取検査と統計的手法
	第4節　管理図	1　管理図の目的と種類 2　管理図の原理（3σ法） 3　管理図の作成と見方
	第5節　社内標準化	1　社内標準化の意義 2　社内標準化の進め方
	第6節　品質保証	1　品質保証の意義と進め方 2　品質保証とクレーム処理 3　ISO9000シリーズの概要
第2章 原価管理	第1節　原価管理の基本的な考え方と手法	1　原価管理の体系 2　実際原価計算 3　費目別計算の方法 4　減価償却 5　原価概念と原価計算の整理
	第2節　標準原価	1　標準原価計算 2　原価標準と標準原価 3　原価差異
	第3節　原価企画	1　原価企画の意義 2　原価企画活動とステップ 3　目標原価 4　原価見積もり
	第4節　コストテーブル	1　コストテーブルの重要性と種類 2　コストテーブルの作成
	第5節　全部原価計算および直接原価計算	1　全部原価計算 2　直接原価計算
	第6節　評価・選択	1　損益分岐点、限界利益 2　経済性評価
	第7節　原価低減	1　操業度と原価低減 2　原価要素別の原価低減 3　ABC/ABM
	第8節　物流コスト	1　物流コストの構成 2　物流コストの算定 3　物流コストの予算管理 4　物流ABC 5　物流投資

14ページに続く

＊標準テキストおよび試験範囲は改訂されている場合があります。最新の情報はこちら
（http://www.koyoerc.or.jp/publication/businesscareer/table.html）をご確認ください。

試験範囲（出題項目）			本書の問題番号
P 品質管理	1 品質管理の考え方	1 品質の計画	1
		2 品質の作り込み	2
	2 統計的手法	1 統計的手法	3
		2 統計的手法と改善	4
		3 仮説検定	5
		4 実験計画法	
		5 信頼性	
	3 検査	1 検査の目的と種類	6
		2 全数検査と抜取検査	
		3 検査と異常処理	7
		4 品質工程図（QC工程表）	
		5 抜取検査と統計的手法	
	4 管理図	1 管理図の目的と種類	8
		2 管理図の原理（3σ法）	
		3 管理図の作成と見方	9
	5 社内標準化	1 社内標準化の意義	10
		2 社内標準化の進め方	11
	6 品質保証	1 品質保証の意義と進め方	12
		2 品質保証とクレーム処理	13
		3 ISO9000シリーズの概要	
Q 原価管理	1 原価管理の基本的な考え方と手法	1 原価管理の体系	
		2 実際原価計算	
		3 費目別計算の方法	14
		4 減価償却	
		5 原価概念と原価計算の整理	15
	2 標準原価	1 標準原価計算	
		2 原価標準と標準原価	16
		3 原価差異	
	3 原価企画	1 原価企画の意義	17
		2 原価企画活動とステップ	
		3 目標原価	18
		4 原価見積もり	
	4 コストテーブル	1 コストテーブルの重要性と種類	
		2 コストテーブルの作成	
	5 全部原価計算および直接原価計算	1 全部原価計算	
		2 直接原価計算	
	6 評価・選択	1 損益分岐点、限界利益	19〜21
		2 経済性評価	22
	7 原価低減	1 操業度と原価低減	23
		2 原価要素別の原価低減	
		3 ABC/ABM	
	8 物流コスト	1 物流コストの構成	
		2 物流コストの算定	
		3 物流コストの予算管理	
		4 物流ABC	
		5 物流投資	

15ページに続く

13

標準テキスト（初版）		
第3章 納期管理	第1節　設計の標準化	1　標準化と設計 2　設計標準化の進め方 3　既存図面の有効活用と編集設計 4　設計基準
	第2節　設計工数管理	1　工数計画のあり方 2　設計難易度 3　設計者能力
	第3節　設計日程管理	1　日程計画の手法 2　基本設計の日程計画 3　詳細設計の日程計画
	第4節　設計進捗管理	1　進捗管理の手法 2　納期意識 3　設計外注の進捗管理 4　設計の遅延対策
	第5節　設計不具合の防止策	1　単純ミスの防止 2　不経済設計の防止 3　設計情報の充実
	第6節　納期管理	1　納期管理の重要性 2　生産計画と実績の差異の原因 3　納期遅延対策
	第7節　生産期間の短縮と対策	1　生産期間の短縮の重要性 2　開発・設計期間の短縮 3　調達期間の短縮 4　製造期間の短縮 5　物流期間の短縮 6　初期流動管理の短縮
	第8節　仕掛品の削減	1　仕掛品削減の重要性 2　仕掛品の発生原因 3　仕掛品の増加防止策
	第9節　初期管理	1　初期管理の重要性 2　初期管理の対策
	第10節　作業指示と統制	1　作業ミスの予防 2　作業結果の確認とデータ収集 3　作業結果の報告と活用
	第11節　生産手配と進捗管理	1　作業手配と指示 2　進捗管理の意義 3　進捗管理の手法 4　余力管理 5　現品管理 6　納期管理レベルの向上
第4章 安全衛生管理	第1節　安全衛生管理の概要	1　安全衛生管理の概要 2　安全衛生管理体制の構築 3　労働安全衛生マネジメントシステムの概要 4　災害統計等
	第2節　労働安全衛生法の概要	1　労働安全衛生法の体系等の概要 2　労働安全衛生法の目的と各章の構成 3　事業者等の講ずべき措置 4　健康の保持増進のための措置
	第3節　設備等物的安全化	1　労働安全衛生法に定める機械等の規制 2　設備安全化の基本 3　労働安全衛生法に定める有害物等の規制
	第4節　安全教育等人的安全化	1　労働安全衛生法に定める労働者の就業にあたっての措置 2　労働安全衛生法で定める安全衛生教育の定着化のポイント 3　作業標準の作成とその遵守活動 4　整理・整頓・清掃活動の推進

16ページに続く

試験範囲（出題項目）			本書の問題番号
R　納期管理	1　設計の標準化	1　標準化と設計 2　設計標準化の進め方 3　既存図面の有効活用と編集設計 4　設計基準	
	2　設計工数管理	1　工数計画のあり方 2　設計難易度 3　設計者能力	
	3　設計日程管理	1　日程計画の手法 2　基本設計の日程計画 3　詳細設計の日程計画	
	4　設計進捗管理	1　進捗管理の手法 2　納期意識 3　設計外注の進捗管理 4　設計の遅延対策	
	5　設計不具合の防止策	1　単純ミスの防止 2　不経済設計の防止 3　設計情報の充実	
	6　納期管理	1　納期管理の重要性 2　生産計画と実績の差異の原因 3　納期遅延対策	24〜25
	7　生産期間の短縮と対策	1　生産期間の短縮の重要性 2　開発・設計期間の短縮 3　調達期間の短縮 4　製造期間の短縮 5　物流期間の短縮 6　初期流動管理の短縮	26 27〜28 29〜30
	8　仕掛品の削減	1　仕掛品削減の重要性 2　仕掛品の発生原因 3　仕掛品の増加防止策	31
	9　初期管理	1　初期管理の重要性 2　初期管理の対策	32
	10　作業指示と統制	1　作業ミスの予防 2　作業結果の確認とデータ収集 3　作業結果の報告と活用	
	11　生産手配と進捗管理	1　作業手配と指示 2　進捗管理の意義 3　進捗管理の手法 4　余力管理 5　現品管理 6　納期管理レベルの向上	33
S　安全衛生管理	1　安全衛生管理の概要	1　安全衛生管理の概要 2　安全衛生管理体制の構築 3　労働安全衛生マネジメントシステムの概要 4　災害統計等	34 35 36
	2　労働安全衛生法の概要	1　労働安全衛生法の体系等の概要 2　労働安全衛生法の目的と各章の構成 3　事業者等の講ずべき措置 4　健康の保持増進のための措置	37 38 39
	3　設備等物的安全化	1　労働安全衛生法に定める機械等の規制 2　設備安全化の基本 3　労働安全衛生法に定める有害物等の規制	40
	4　安全教育等人的安全化	1　労働安全衛生法に定める労働者の就業にあたっての措置 2　労働安全衛生法で定める安全衛生教育の定着化のポイント 3　作業標準の作成とその遵守活動 4　整理・整頓・清掃活動の推進	41〜42

17ページに続く

15

標準テキスト（初版）			
第5章 環境管理	第1節　環境問題の歴史的経緯と環境基本法	1 2 3 4	公害問題の始まり 高度経済成長期の公害問題 公害対策の強化 環境基本法と関連法規制
	第2節　公害防止対策	1 2 3 4 5	大気汚染とその対策 水質汚濁とその対策 土壌汚染とその対策 騒音・振動とその対策 悪臭とその対策
	第3節　工場・事業場における環境保全の取り組み	1 2	環境保全の維持と改善 環境改善のしくみと環境マネジメントシステム
	第4節　循環型社会をめざして	1 2 3 4	廃棄物とリサイクル 省エネルギーと新エネルギー 物流と環境対策 化学物質の有害性と環境リスク対策
	第5節　製品の環境負荷の低減	1 2 3	グリーン購入の考え方と実践 製品の有害物質の規制 製品の環境負荷の評価
	第6節　企業の社会的責任	1 2 3	CSRとは 法令遵守と自主的活動 環境報告書と環境会計

＊標準テキストの章立てについては、学習のしやすさ、理解促進を図る観点から、一部、試験範囲の項目が組替・包含されている場合等があります。

試験範囲（出題項目）			本書の問題番号
Ⅰ　環境管理	1　環境問題の歴史的経緯と環境基本法	1　公害問題の始まり	
		2　高度経済成長期の公害問題	
		3　公害対策の強化	
		4　環境基本法と関連法規制	43
	2　公害防止対策	1　大気汚染とその対策	
		2　水質汚濁とその対策	44
		3　土壌汚染とその対策	
		4　騒音・振動とその対策	45
		5　悪臭とその対策	
	3　工場・事業場における環境保全の取り組み	1　環境保全の維持と改善	46
		2　環境改善のしくみと環境マネジメントシステム	
	4　循環型社会をめざして	1　廃棄物とリサイクル	47〜48
		2　省エネルギーと新エネルギー	
		3　物流と環境対策	
		4　化学物質の有害性と環境リスク対策	
	5　製品の環境負荷の低減	1　グリーン購入の考え方と実践	
		2　製品の有害物質の規制	
		3　製品の環境負荷の評価	
	6　企業の社会的責任	1　CSRとは	49
		2　法令遵守と自主的活動	
		3　環境報告書と環境会計	50

＊試験範囲の詳細は、中央職業能力開発協会ホームページ（https://www.javada.or.jp/jigyou/gino/business/seisan.html）をご確認ください。

●本書の構成

本書は、「過去問題編」と「解答・解説編」の2部構成となっています。

ビジネス・キャリア®検定試験において過去に出題された問題から150問をピックアップ。問題を「過去問題編」に、各問についての解答及び出題のポイントと解説を「解答・解説編」に収録しています。

発刊されている「ビジネス・キャリア®検定試験 標準テキスト」（中央職業能力開発協会 編）を併用しながら学習できるように、問題の内容に対応する標準テキストの該当箇所も示しています。

各ページの紙面構成は次のようになっています。

過去問題編

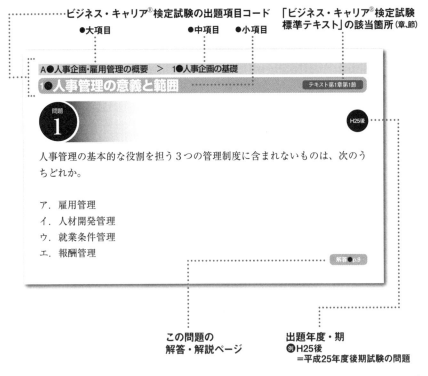

*検定試験の出題項目コード及び標準テキストの該当箇所については、該当するものが必ずしも単一であるとは限らないため、最も内容が近いと思われるコード、章・節を参考として示しています。

18

解答・解説編

………… 正解の選択肢

………… **出題のポイント** (この問題でどのような内容が問われているか)

A●人事企画・雇用管理の概要 ＞ 1●人事企画の基礎

1●人事管理の意義と範囲　　　　テキスト第1章第1節

問題 **1** 解答　　　　　　　　　　　　　　　　　　H25後

正解　イ

ポイント　人事管理を構成する諸制度の基本的な理解度を問う。

【解　説】

ア．含まれる。職場や仕事に人材を供給するための管理機能を担う。①採用管理、②配置・異動管理、③人材開発管理、④雇用調整・退職管理、のサブシステムからなる。

イ．含まれない。雇用管理を構成するサブシステムの1つである。

ウ．含まれる。働く環境を管理する機能を担う。①労働時間管理、②安全衛生管理、のサブシステムからなる。

エ．含まれる。給付する報酬を管理する機能を担う。①賃金管理、②昇進管理、③福利厚生管理、のサブシステムからなる。

　人事管理の基本的な役割を担う3つの管理制度（雇用管理、就業条件管理、報酬管理）と、基盤システム、サブシステムとの連関は、次の図のとおり。

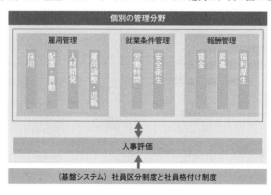

個別の管理分野

雇用管理				就業条件管理		報酬管理		
採用	配置・異動	人材開発	雇用調整・退職	労働時間	安全衛生	賃金	昇進	福利厚生

人事評価

（基盤システム）社員区分制度と社員格付け制度

………… **設問の各選択肢について正誤根拠を示すとともに、学習するうえで重要な点などについて解説しています。**

ビジネス・キャリア®検定試験 過去問題集

解説付き

BUSINESS CAREER

生産管理 オペレーション

2級

● 作業・工程・設備管理

生産管理オペレーション **2級**

● 作業・工程・設備管理

ビジネス・キャリア®検定試験
過去問題編

F●作業管理 ＞ 2●作業設計

1●工程編成と作業設計

テキスト第1章第2節

問題 1

H29前

作業設計に関する記述として最も不適切なものは、次のうちどれか。

ア．工程編成を行うため、従来の運搬方法を見直し、運搬が容易になり、運搬回数が減少する新しい運搬方法を検討する。

イ．対象とする品種が多く、各生産量は比較的少ない場合は、全体としてモノの流れが複雑になるため、機械設備をライン化して配置するライン編成を行う。

ウ．多くの作業者に比較的長い手待ち時間が頻発する場合は、多工程持作業の編成を行う。

エ．ライン編成を検討するために、総稼働時間と目標生産量から計算されたサイクルタイムを基準とする。

オ．原材料や部品を生産ラインに供給する際、同期化供給方式を行うために製品1台分に必要な部品を1セットとして準備するマーシャリング方式を採用する。

解答●p.78

問題 2

H27前

工程編成に関する記述として最も不適切なものは、次のうちどれか。

ア．グループ編成方式の長所は、作業が単純化され、専用機械化が促進されることである。

イ．グループ編成方式は、生産計画の策定に高い技術が必要となる。

ウ．ライン編成方式の長所は、工程間の仕掛量が減少し、製造リードタイムの低減に貢献することである。

エ．ライン編成方式の問題点の１つとして、作業区分の細分化によって、作業者の労働意識が低下することが挙げられる。

オ．ライン編成方式は、一般に、連続生産に採用される。

解答 ● p.79

F●作業管理 ＞ 2●作業設計

2●治工具と動作・作業設計

テキスト第1章第2節

治具と作業設計に関する記述として最も不適切なものは、次のうちどれか。

ア．治具は、作業の対象物（工作物や組立品）を固定するとともに、作業工具や作業者の手の動線を制御したり、案内するガイドや突き当ての働きをする装置である。

イ．治具設計においては、作業精度を確保するために、基準設定の方法や部位が正確に機能するか、それらに変形・摩耗等の防止策が施されているかに注意しなければならない。

ウ．治具を用いて部品が安定して固定されると、組み付け時に必要な力を有効に加えることができ、あるいは作業者の両手を有効に活用できる。

エ．部品を治具に締め付けにより取り付ける場合には、動作確認が確実になるよう、できるだけ動作数の多い機構を利用することが重要である。

オ．治具の設計に当たり、動作経済の原則、特に工具や設備の設計に関する原則を考慮することが必要である。

解答●p.80

F●作業管理 ＞ 4●標準時間

標準時間、作業習熟に関する記述として不適切なものは、次のうちどれか。

ア．作業訓練中の新人作業者が習熟したかどうかの判断として標準時間を継続的に満たすことを基準の1つとする。

イ．標準時間の設定を行うため、作業者に複数回作業させ、作業に慣れ作業時間のバラツキが収束したことを確認する。

ウ．標準時間より短い作業時間で実施する作業者がいる場合には、その作業手順を確認し、作業標準を再検討する。

エ．ある一定期間が過ぎても作業者の習熟が進まず、標準時間の値に収束しない場合、動作分析や作業手順、治工具の検討を行う。

オ．未経験の作業者の作業を測定して習熟係数を求め、異なる工程の作業訓練計画に応用する。

解答●p.82

F●作業管理　＞　4●標準時間

2●標準時間の構成

テキスト第1章第4節

問題
5

H28後

余裕時間に関する記述として不適切なものは、次のうちどれか。

ア．小ロット生産において、組立作業者がロットごとに部品棚から部品を取り置く作業時間は、余裕時間ではなく付帯作業時間である。

イ．他部署から転属した作業者がまだ作業に不慣れで習熟過程にあるため、熟練者に比べ長い余裕時間を考慮して標準時間を設定する。

ウ．生産ラインの改善活動の途中段階で、ラインバランスが平準化されていないため、ステーションによって発生する手待ち時間は職場余裕である。

エ．打合せなどの業務が発生するが、１日の発生時間を観測し、打合せなどが作業時間に占める割合を職場余裕に考慮する。

オ．作業による疲労を回復するための休息や作業ペースを補うための余裕が必要であり、正規の休憩時間や、作業時間の中で回復が期待できない場合、標準時間の中に含めることができる。

解答 ●p.83

3●標準時間の設定法 テキスト第1章第4節

標準時間の設定法に関する記述として最も不適切なものは、次のうちどれか。

ア．ストップウォッチ法は、直接的に作業を観察するので、設定精度はレイ
　ティング精度に大きく依存する。

イ．ワークサンプリング法は、稼働状況を瞬間的に繰り返して測定する方法
　であり、余裕率を設定できる。

ウ．PTS法は、多くの複雑な作業内容を含むような作業周期の長い作業に適
　している。

エ．経験見積法は、設定者の経験に基づく方法であり、繰り返しが少ない作
　業に適している。

オ．実績資料法は、過去の実績を基にしており、標準時間を簡便に見積もる
　ことはできるが、設定精度が悪い。

解答●p.84

F●作業管理 ＞ 4●標準時間

4●標準時間の利用

テキスト第1章第4節

標準時間の利用目的に該当する記述として最も不適切なものは、次のうちどれか。

ア．作業におけるフェールセーフ設計において、適用箇所を設定するため。

イ．納期や生産可能数量を見積るため。

ウ．工程のバランスや同期化する際に、各人が受け持つ仕事量を算定するため。

エ．改善活動を行う際の作業時間の構成内容（例えば、作業余裕や職場余裕の構成比）を検討するため。

オ．職務評価及び能率（奨励）給設定の基礎資料を作成するため。

解答●p.85

F●作業管理 ＞ 5●作業統制

1●作業方法・時間・条件の管理

作業統制に関する記述として最も不適切なものは、次のうちどれか。

ア．作業方法を最良の状態で維持し、さらに向上させるためには、作業指導書等の形で示されている作業標準に基づいて、作業者の指導と訓練を行うとよい。

イ．作業時間の解析に当たっては、実績時間の動向を作業時間分布や時系列の動向として捉え、平均値の動向、作業時間のバラツキ等から検討し、作業標準としての適否を判定するとよい。

ウ．作業条件とは、作業場における温湿度、気流、換気、採光等の物理的な環境条件と、5S、安全、休憩時間等の外的条件のことである。

エ．生産進度に支障のあるトラブルが起きた場合、現場作業者の判断で管理者への報告より復旧措置を優先しなければならない。

オ．標準時間の維持には、未熟練者に対する管理も重要であり、未熟練者の習熟状況を常時把握し、達成状況を捉えていることが必要である。

解答●p.87

31

F●作業管理 ＞ 5●作業統制

2●技能・性能の管理

テキスト第1章第5節

問題 **9**

H29前

作業技能の管理に関する記述として最も不適切なものは、次のうちどれか。

ア．作業者が取得している技能レベルを表にし、誰でも確認できるように職場内に掲示する。

イ．作業者の作業技能を判断するため、公的な作業技能認定制度の利用を検討したが、制度内容の問題により、自社で独自の作業技能認定制度を作成して実施する。

ウ．管理業務、報告業務、保全作業などは、各熟練作業者のやりやすい方法に任せ、その重要性と責任の所在を明確化する。

エ．これまで、若手作業者に技能を継承させるためのOJT教育を行ってきたが、指導力にバラツキがあることから、技術伝承・人材育成のための一元的な教育プログラムを作成する。

オ．意欲・やる気を高揚させるため、作業者の技能レベルに応じ、加給制や表彰制度を設ける。

解答●p.88

1 ● 作業指導の考え方

作業指導に関する記述として最も適切なものは、次のうちどれか。

ア．直属の上司や先輩が部下に対して、具体的な仕事を通じて行うOJTでは、知識、理論等を、体系的かつ計画的に習得できる。

イ．経験、知識や技能の蓄積に乏しい新しい職務においては、OJTを積極的に活用し、担当職務の質を高度化する職務充実の考え方が有効である。

ウ．現場レベルで作業改善を実施するには、作業者が自由に作業標準を決定して作業標準書を作成し、管理者はその作業標準を基に作業性評価や教育訓練を行っていくといった活動サイクルにより行うのがよい。

エ．現場作業者のOJTは、初期段階での教育のみに有効であり、その後は、段階的に作業標準書や3次元シミュレータによる教育を行うほうが、教育効果は高く即戦力となる人材が育つ。

オ．技術革新に対応できる人材を育てるための方法の1つとして、Off-JTにより、将来的に必要となる知識、技術等に関する教育を行う方法が望ましい。

解答● p.89

F●作業管理　＞　6●作業指導

2●教育訓練計画　　　　　　　　　　　　　　　　　テキスト第1章第6節

問題
11

H29前

教育訓練に関する記述として不適切なものは、次のうちどれか。

ア．職場の職能資格の基準と照らし合わせた外部の技能資格認定制度をリスト化し、資格取得時の報奨制度を導入し受験を推奨する。

イ．生産職場における自主管理活動のマンネリ化を防止するため、製品設計におけるデザインレビューのミス防止策を課題として設定して取り組む。

ウ．作業量の平準化と他工程での作業に習熟するために、閑散期に作業者のジョブ・ローテーションを実施する。

エ．小集団活動の定着と活性化のため、職場の改善提案の中から選考し有用な提案を表彰する制度を設ける。

オ．職場の熟練作業者の担当作業を定期的に見直し、職務範囲と作業内容を豊富にするため、作業計画の立案や関連する検査業務も任せるなど、作業を拡大する。

解答●p.90

F●作業管理 ＞ 7●作業環境の設計

1●労働安全衛生管理と環境マネジメント

テキスト第1章第7節

H29後

作業環境の設計及び環境マネジメントに関する記述として不適切なものは、次のうちどれか。

ア．生産システムの計画と設計において環境の整備は、労働安全衛生管理と環境マネジメントの両側面を考える必要がある。

イ．作業環境を管理するためには、その物理的・化学的な条件だけではなく、心理的・社会的な条件も考慮しなければならない。

ウ．環境マネジメントシステムは、自主的に環境保全に関する取り組みを進めるための体制・手続きなどの仕組みのことを指す。

エ．労働安全衛生は、職場における生産中の製品の安全性や品質を確保するために管理する必要がある。

オ．職場や作業域の適正な配置は、作業環境を良くする方策の一部である。

 解答●p.91

F●作業管理　＞　7●作業環境の設計

3●空気調和

テキスト第1章第7節

作業環境の設計における空気調和の対象として不適切なものは、次のうちどれか。

ア．温度・湿度
イ．騒音
ウ．粉じん
エ．臭気
オ．二酸化炭素

解答● p.92

1●**改善の考え方**　テキスト第2章第1節

問題 **14**

H29後

職場改善の考え方に関する記述として不適切なものは、次のうちどれか。

ア．工程改善とは、工程分析などの手法を用いて1つ又は複数の工程の効率化を図る活動である。

イ．作業改善とは、作業研究の方法を用いて1つ又は複数の作業の効率化を図る活動である。

ウ．モーションマインドとは、ワークサンプリングやボトルネック分析などの手法を用いて、作業習熟を高める活動である。

エ．改善における分析的アプローチでは、現状の問題点を的確に発見することが重要である。

オ．改善における帰納的アプローチとは、個々の具体的事実から一般的・普遍的な法則を導き出そうとするものである。

解答●p.93

G●職場の改善　＞　1●職場の改善の進め方

3●改善の原則　　　　　　　　　　　　　　　テキスト第2章第1節

問題
15

職場の改善を検討するための考え方に関する記述として適切なものは、次の
うちどれか。

ア．目標が生産リードタイムの短縮であるとき、多少の品質上の不安定要素
　　があるとしても、まずは単純化と専門化の原則を適用して、目標を達成で
　　きる作業時間の短縮方策を採用する。

イ．始めて間もない現場の自主管理活動において、新人の担当者が職場の問
　　題について改善の原則を適用して作成した改善案は、現状分析が不十分な
　　ので、助言と指導によって再考させることにする。

ウ．ライン生産に従事する作業者のサイクル作業の中に不規則に発生するラ
　　イン外の工程の補助作業を追加する。

エ．長年従事している作業者の独特の方法に、作業台上で部品を整列する動
　　作があり、ムダな動作であるが、作業者の個性を重視して変更しないこと
　　は、改善の4原則（ECRSの原則）に適合している。

オ．IE手法の分析結果から判明した手待ち時間について、担当者から事情
　　を聴くと現場リーダーからの指示で行っているとの回答であったので、改
　　善対象から外すことにする。

解答● p.94

1●**目標の設定**　テキスト第2章第2節

目標管理の考え方に関する記述として最も不適切なものは、次のうちどれか。

ア．具体的な目標の設定において、着手が容易で、効果が高いと思われる項目を可能な限り多数列挙し、あらゆる面で総合的な成果が上がるように設定することが重要である。

イ．目標は、その実現に努力を要するが達成可能なもので、長期的な目標と短期的な目標のバランスをとることが望ましい。

ウ．部門や作業グループ、あるいは作業者間で共同の目標を設定し、連帯感の強化を図りつつ効率よく成果を上げるように工夫することが必要である。

エ．目標の達成状況が適正に評価できるよう、金額、数量、比率、時間、度数などの定量化できる項目が望ましい。

オ．目標管理を行うためには、日常的にみられる納期遅延対策や不適合対策などの具体的な改善活動やそのための研修に各人が積極的に参加するよう支援することが重要である。

解答●p.95

1●能率管理と総合能率

テキスト第2章第3節

能率管理に関する記述として最も不適切なものは、次のうちどれか。

ア．能率管理の基本的な目的は、生産性の向上であり、その基本的指標は総合能率である。

イ．総合能率とは、作業効率と工数稼働率とで構成され、両者の積によって、作業者の働きぶりと管理体制の程度とを表したものである。

ウ．能率管理における作業効率は、「出来高工数」を「就業工数－管理ロス工数」で除して求められる指標で、正味の能率を表している。

エ．能率管理における工数稼働率は、「就業工数－管理ロス工数」を「就業工数」で除して求められる指標で、管理者の責任である管理体制の程度を表したものである。

オ．「管理ロス工数」とは、作業ペースの低下や微小なロス時間、手直し時間等のことである。

解答●p.96

H29後

工程管理及び工程編成に関する記述として最も不適切なものは、次のうちどれか。

ア．需要変動の時間的又は量的な予測が困難な場合には、変動を在庫で吸収したり、時間外勤務などの能力調整によって対応する。

イ．他の工程に比べて、能力が不足したネック工程がある場合には、その前後の仕掛品や工程編成の在り方を検討する。

ウ．製品間の要素作業に類似性が高く、製品切替時に段取作業は発生しない場合には、需要量に比例した混合比率により混合製品ライン生産方式を採用する。

エ．多種少量のロット生産において、設置スペースを削減して歩行距離を短縮するためには、品種別の専用ラインによる工程編成を実施する。

オ．一人生産方式は、ライン生産と比べ、動作ロスや習熟ロスが発生したり、作業速度が遅くなる場合がある。

解答●p.98

G●職場の改善 ＞ 4●工程編成（生産方式）の改善

3●グループ生産方式の改善 テキスト第2章第4節

グループ生産方式の改善に関する記述として最も適切なものは、次のうちどれか。

ア．機種グループ生産におけるロット生産の場合は、ロットを分割して1個流しと呼ばれる1個ずつ流す方式にする。

イ．グループ間の運搬が、最小になるように各グループを構成することができる。

ウ．需要変動による製品の種類や生産量の変化に合わせて、グループ編成はその配置換えを行う。

エ．グループ編成の職場を管理する場合は、技能向上の管理がおろそかになりがちであることに留意する。

オ．労働安全衛生のために区分された特定加工グループは、グループ編成の再検討において、安全性が確保されても分割してはならない。

解答●p.99

1●職場レイアウトの考え方と決定要因　テキスト第2章第5節

大規模な職場レイアウトの考え方として適切なものは、次のうちどれか。

ア．生産現場の各工程の作業域や間接部門などの作業空間内の詳細な配置
　は、詳細レイアウトで行う配置であり、基本レイアウトでは扱わない。

イ．詳細レイアウトでは、機械・設備や工程、作業者、作業空間、什器、材
　料、製品などを最適に配置するので、生産に関する条件変更による将来の
　再配置は考慮しない。

ウ．詳細レイアウトでは、基本レイアウトで決定された職場の形状を変更し
　ない。

エ．再配置に対する対策には、空地の集約化は含まれない。

オ．職場レイアウトは固定的であるから、設備や製造方法の変更には対応し
　ない。

解答●p.100

過去問題編

G●職場の改善　＞　5●職場レイアウトと改善

2●運搬の合理化

テキスト第2章第5節

問題 21

H28後

運搬の合理化に関する記述として最も不適切なものは、次のうちどれか。

ア．生産や保管の各段階ごとに運搬物の荷姿を単純化したり、標準サイズを
　決めて共通化を図ると、運搬の作業的特性を著しく犠牲にせざるをえない
　ので、運搬の適正化に反することになる。

イ．自動運搬機器を導入すると、生産条件の変化に対応しにくくなり、多大
　なロスが発生しうる。

ウ．運搬機器類の選定では、採算性や安全性、環境マネジメントへの適合性
　のほかに、運搬作業者の技能レベルや技能資格を検討する。

エ．運搬手段や運搬経路の標準化によって、運搬の互換性を高めることがで
　きる。

オ．生産計画に基づく計画的運搬だけでなく、生産活動の状況に応じて発生
　する運搬についても、その結果の情報をフィードバックできる体制を確立
　する。

解答●p.101

G●職場の改善　>　6●作業評価の進め方

1●作業評価の考え方と構成

テキスト第2章第6節

問題 **22**

H29後

作業評価の進め方として最も適切なものは、次のうちどれか。

ア．作業改善の活動において、ある面が良くなると、他方が悪くなるなどトレードオフ的な問題がある場合は、他の改善案と比較して効果の大きさを判断するよりも、最も欠点が少ないと評価される改善案が望ましい。

イ．生産性を向上させるには、時間短縮の方策が最も効果的である。

ウ．作業評価に関する評価尺度の設定では、品質・原価・納期のいずれかに基づくものでなければならない。

エ．納期に関する評価では、作業の遅延に関する指標である納期遅延率、納期達成度及び生産期間に関する指標が用いられる。

オ．モラールに関するJIS用語では、個人が定める目標の達成に向かって、その個人が努力する気力に満ちた状態にあることと定義されている。

解答●p.102

G●職場の改善 ＞ 6●作業評価の進め方

2●作業評価の種類

テキスト第2章第6節

管理指標に関する記述として不適切なものは、次のうちどれか。

ア．生産計画における労働生産性として、生産金額を労働人数で割った値を用いる。

イ．生産計画における操業度として、実際稼働時間を標準生産能力で割った値を用いる。

ウ．生産計画における稼働率として、実際生産量を理論的生産量で割った値を用いる。

エ．品質管理における直行率として、適合品数を組立総数で割った値を用いる。

オ．品質管理における歩留率として、完成量を投入量で割った値を用いる。

解答●p.103

G●職場の改善　＞　6●作業評価の進め方

3●作業評価の基本手順

テキスト第2章第6節

問題 **24**

作業評価の基本手順に関する記述として最も不適切なものは、次のうちどれか。

ア．作業評価の指標は、基本的に数値化できるもので、全員が納得できるものでなければならない。

イ．作業評価では、まず企業の本来の目的と中・長期的方針を明確にする。

ウ．作業評価では、各部門や職場の具体的な方針と目標を期間別に明らかにしておく。

エ．作業評価では、現状調査に基づき、特急品の発生や想定外の事項については例外事項として除外し、標準的な条件下での実績を評価しなければならない。

オ．作業評価において実績と目標の差異がある場合は、関連工程や部門などに情報をフィードバックし、緊急対応を行うケースも生じる。

解答●p.104

1●工程管理の目的と流れ

テキスト第3章第1節

問題
25

H28後

工程管理の目的に関する記述として最も不適切なものは、次のうちどれか。

ア．納期の遵守と製造数量の達成のために、適切な納期で受注すること、生産計画どおりに生産することがポイントになる。

イ．生産期間を短縮するためには、その構成要素である製品の設計期間、資材の調達期間及び製造期間を短縮しなければならない。

ウ．生産期間が受注期間（受注納期）より長い場合には、生産期間自体を短縮するか、先行手配をする場合がある。

エ．生産期間の中で、素材投入から製品出荷までの製造期間を短縮するためには、一般的なロット生産においては、製造ロットサイズを大きくすることが有効である。

オ．工程管理は、生産性の向上や操業度の維持などについても配慮し、工程管理費用や製造原価の低減を図ることも大切である。

解答●p.105

3●生産統制と緩衝機能

緩衝（バッファ）に関する記述として不適切なものは、次のうちどれか。

ア．生産計画どおりに原材料・部品が納入されない場合は、計画変更による原材料・部品の使用種類や使用数量に対する品切れ防止のために、原材料・部品の安全在庫が必要になる。

イ．ボトルネック工程の後に仕掛品の中間在庫を置くことにより、後続工程の生産減を防止することができる。

ウ．生産期間が長い場合に、標準品を中間的な仕掛品在庫として、見込みによる先行生産をしておけば、受注があってから製品を完成するまでの生産期間を短縮できる。

エ．製品在庫に緩衝があると、需要の変動に対して、生産計画や生産工程への直接的な影響が避けられる。

オ．製品在庫が多すぎると、保管費用の増大・資金悪化・在庫の陳腐化を引き起こし、一方、在庫が少なすぎて品切れを起こすと、販売機会を失うというトレードオフ関係になる。

解答●p.106

3●標準時間の設定

テキスト第3章第2節

問題
27

H28前

標準時間の設定に関する記述として最も不適切なものは、次のうちどれか。

ア．作業標準を、時間の観点から表したものが標準時間であり、主としてこの基準となる時間値が、日常の作業管理の管理業務に用いられている。

イ．作業測定の中で、VTR法やワークサンプリングは、直接測定法に分類される。

ウ．PTS法を用いると、生産開始に先立って、作業時間を設定できる。

エ．作業標準とは、生産の構成要素（4M）を有効に活用し、作業条件、管理方法、使用材料、使用設備、作業要領等、現時点で最善の作業方法を示した基準のことである。

オ．間接測定法を用いる場合には、作業ペースの個人差を、観測時間に対してレイティングを行い、適切な標準時間を求める必要がある。

解答●p.107

1●工数計画と日程計画　　　テキスト第3章第3節

問題 **28**

H28前

工数に関する記述として不適切なものは、次のうちどれか。

ア．仕事量と生産能力を比較して、調整する際に共通の基準として工数を表示することがある。

イ．工数の単位となる人時において、200人時とは、5人で作業すると40時間で完了する負荷量を示す。

ウ．工数計画においては、生産計画によって決められた製品別の納期と生産量に対して、仕事量を具体的に決定し、それを現有の人や機械の能力と対照し、両者の調整を図る。

エ．生産能力の過不足の状態を把握する方法として、工数山積み表を用いることがある。

オ．余力管理では、作業開始時は不慣れのため作業に長い時間がかかるが、繰り返し作業をするうちに熟練し作業時間が安定し、一定になることを想定している。

解答●p.108

2●負荷（負荷工数）と生産能力の工数換算

テキスト第3章第3節

以下の＜条件＞において、負荷工数と機械の能力工数の計算を行ったときの結果として正しいものは、次のうちどれか。

なお、負荷工数及び能力工数の単位は分/月とする。

＜条件＞

製品の標準時間（/個）：5.5分

製品の必要生産数量（/月）：1,520個

良品率：95％

運転時間（/台・月）：9,600分

稼働率：85％

機械台数：1台

ア．負荷工数：8,800 　　能力工数：11,294

イ．負荷工数：8,360 　　能力工数： 9,120

ウ．負荷工数：7,942 　　能力工数： 8,160

エ．負荷工数：8,800 　　能力工数： 8,160

オ．負荷工数：7,942 　　能力工数： 9,120

解答●p.109

3●負荷と生産能力の調整

問題 **30**

工数山積み表に関する記述として最も不適切なものは、次のうちどれか。
なお、図表1は機械（M1〜M3）に対する製品・品種（P1〜P3）の負荷工数を示している。M1〜M3ともに1台当たりの機械の生産能力は160マシンアワーである。また、図表2は図表1を基にした工数山積み表であり、M1についてのみ記載している。

図表1

機械（台数） 製品・品種	M1（1台分）	M2（1台分）	M3（2台分）
P1	50	60	110
P2	70	60	100
P3	50	30	90

図表2

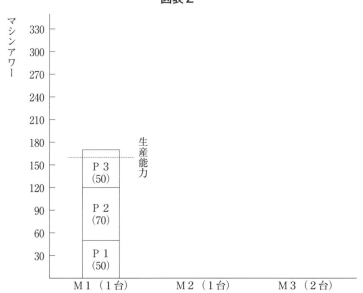

ア．M1は負荷工数＞生産能力、M2は負荷工数＜生産能力である。

イ．M3は、生産能力不足の状態なので、臨時作業員の増員を図る等の対策が挙げられる。

ウ．M1の対策として、残業によりマシンアワーを10増加させることが挙げられる。

エ．M2の機械を1台増加することにより、M2の生産能力を2倍にすることができる。

オ．M3に対して、P3の負荷工数がさらに、20増えても生産能力内に収まる。

解答 ●p.110

2●基準日程計画

テキスト第3章第4節

問題 31

以下の1〜5に示す「日程計画」における業務や技法に関する記述と、それに対応する用語の組合せとして適切なものは、次のうちどれか。

1. 製品完成を基準としてその製品に関わる全部品の処理の標準的な着手時点と、完了時点とを定めた計画である。

2. 基準日程の計画図表を作る場合、完成予定日を基準として、工程の所要期間を逆算した目盛りの数のこと。着手日、完成日を表すときに用いる値とされている。

3. 横軸に時間をとり、縦方向に機械や作業者等の手段の資源をとり、手段の資源ごとに、作業の計画や進捗状況を示す図表である。この図表からは、手段の資源の稼働状況が把握しやすくなる。

4. ネットワーク図について、各作業での最早結合点時刻及び最遅結合点時刻を求め、さらに、各作業の全余裕時間を求める。それらの全余裕時間がゼロになる作業の経路のことで、これらの作業については重点管理が必要であり、遅れは許されない。

5. 個別に生産する製品の計画を立てる場合に用いられるスケジューリング手法である。特に、工期と費用との関係を調整する機能を持ち、最小の増加費用で工期の短縮を図ることを狙いとしている。

ア．1：基準日程計画　　　　2：手配番数　　　　3：ガントチャート
　　 4：クリティカルパス　　5：CPM

イ．1：基準日程計画　　　　2：リードタイム　　3：ガントチャート
　　 4：クリティカルパス　　5：PERT

ウ．1：基準日程計画　　　　2：手配番数　　　　3：山積み表
　　 4：ダミー作業　　　　　5：CPM

エ．1：基準生産計画　　　　2：手配番数　　　　3：ガントチャート

　　　4：ダミー作業　　　　5：CPM

オ．1：基準生産計画　　　2：リードタイム　　3：山積み表

　　　4：クリティカルパス　5：PERT

解答● p.111

3●計画の基本的な立て方　　テキスト第3章第4節

問題 **32**

H29後

スケジュールの作成方法に関する記述のうち、（　　）に入る語句の組合せとして適切なものは、次のうちどれか。

　フォワード法は、着手予定日を基にスケジュールを作成していく方法である。時間の進む方向に作業の（　A　）を決めていくため、納期に間に合わない仕事が出てくる可能性がある。この場合には、既に順序が決まっている仕事の処理を調整し、できる限り（　B　）が少なくなるように変更する必要がある。

　バックワード法は、完成予定日を基準にしてスケジュールを作成する方法である。納期の最後の仕事から、時間の戻る方向に作業の（　C　）を決めていくため、計画期間内に処理が入りきらず、計画期間前にまで処理が食い込んでしまう場合がある。

　このような場合は、既に割り付けられている仕事を調整して、計画期間に収まるようにする必要がある。それでも調整がつかない場合には、（　B　）が発生することになる。

　一般的に、フォワード法はスケジュールが前づめとなることから（　D　）に有効性が高く、バックワード法は（　E　）に有効性が高い。

ア．A：処理開始時刻　B：納期遅れ　C：処理終了時刻　D：納期順守
　　E：稼働率向上
イ．A：処理終了時刻　B：納期遅れ　C：処理開始時刻　D：納期順守
　　E：稼働率向上
ウ．A：処理開始時刻　B：在庫量　C：処理終了時刻　D：稼働率向上
　　E：納期順守
エ．A：処理終了時刻　B：在庫量　C：処理開始時刻　D：納期順守
　　E：稼働率向上

オ．A：処理開始時刻　　B：納期遅れ　　C：処理終了時刻　　D：稼働率向上
　　E：納期順守

解答 ● p.112

1●部品構成表

問題 **33**

以下に示す部品表の＜特徴＞に関する記述において、ストラクチャー型部品表に該当するものの組合せとして適切なものは、次のうちどれか。

＜特徴＞

A：部品の加工や製品の組立順序を考慮して部品の親子の関連を保ちながら、製品の構成と各段階での部品の所要量とを、ツリー構造で表現する部品表である。

B：最終製品の加工順序や組立順序にとらわれず、最終製品を生産するうえで必要となるすべての材料や部品を一覧表の形式にまとめて表現する部品表である。

C：最終製品の組立段階や構成部品との構造が示されないことから、中間部品の構成を把握することができない。

D：この部品表は、管理の手間が省けることから、比較的単価が安く、構造が簡単で、担当者が把握しやすい製品に適している。

E：この部品表の部品展開における展開形式には、一段階展開、多段階展開及び集約展開の3種類がある。

ア．A、B
イ．A、E
ウ．B、C
エ．C、D
オ．D、E

解答●p.113

過去問題編

H●工程管理（オペレーション）　＞　5●材料計画

2●**部品展開**　　　　　　　　　　　　　　　　　　　テキスト第3章第5節

問題
34

部品展開に関する記述として最も不適切なものは、次のうちどれか。

ア．部品展開とは、計画期間内に生産しなければならない最終製品の種類と数量が決まったとき、それらの製品を作るために必要な構成部品又は資材の種類とその数量を求める行為である。

イ．展開方法には、親部品から子部品へ展開する正展開と子部品から親部品へ展開する逆展開がある。

ウ．展開形式の1つとなる集約展開は、下位又は上位のすべての部品を検索して、階層関係は考慮せずに同一部品を1つに集約して結果を表示する。

エ．一段階の所要量の計算において、上位品目の所要量120、原単位10、不適合品率0.5%のとき、所要量は1,194となる。

オ．部品展開における有効在庫量の計算において、手持在庫量100、在庫引当量25、発注残40のとき、有効在庫量は115である。

解答●p.115

製番管理方式の特徴に関する記述として適切な組合せは、次のうちどれか。

1．製品と部品に紐付き情報を持っていることから、特定の部品の発注指示、加工指示及び組立指示の変更をしやすい。

2．累計製造番号に対して、工程ごとに着手、完成時期を示し、進度管理や現品管理を行う。

3．取り消しや余剰につながった部品や半製品を、ほかの受注に振り向けることが難しい。

4．この管理方式は、連続生産又は多量生産において用いられる。さまざまな内外的な変動要因による生産数量の変化を、工程間の仕掛品の増減によって吸収することにより、管理する方式である。

5．影響を受ける受注や顧客をすぐに特定できるので、納期折衝がやりやすい。

ア．1、2、5
イ．1、3、4
ウ．1、3、5
エ．2、3、4
オ．2、4、5

解答●p.116

H●工程管理（オペレーション） ＞ 6●生産管理システム

3●MRP（資材所要量計画）システム

テキスト第3章第6節

 問題 36

以下に示すMRPシステムに関する記述において、（　）内に当てはまる語句の組合せとして適切なものは、次のうちどれか。

・（　A　）は、現場管理をすることであり、製造現場に対する「作業分配」の管理業務である。具体的には、オーダーに対して、製造現場の実施状況を監視しながら、作業着手順序を決定し、各作業職場に対して生産指示することである。

・MRPは、計画を中心とした（　B　）の代表的な生産管理システムといえる。

・連続した時間の流れを、適当な小時間域で区切って、この連続した小区間の単位ですべての生産活動を計画・統制することを（　C　）という。

・基準生産計画が、生産能力の観点から実行可能であるかどうかを検討するために、特に問題になりそうな主要工程・主要品目・特定設備等に焦点を当てて、（　D　）によって大まかな生産能力の検証をする。

・（　E　）とは、その品目の需要が、他の品目の需要との間で、直接的な関係がみられない品目のことをいう。

＜語群＞
1．プライオリティ・プランニング
2．ラフカット能力計画
3．プライオリティ・コントロール
4．PUSH生産方式
5．PULL生産方式
6．独立需要品目
7．従属需要品目
8．タイムバケット

9．タイムフェイズ

ア．A：1　　B：4　　C：9　　D：2　　E：7
イ．A：2　　B：5　　C：8　　D：1　　E：7
ウ．A：2　　B：3　　C：6　　D：1　　E：5
エ．A：3　　B：4　　C：9　　D：2　　E：6
オ．A：3　　B：5　　C：8　　D：1　　E：6

解答 ●p.118

2●工程管理情報の伝達

テキスト第3章第7節

工程管理情報の伝達に関する記述のうち、（　　）に入る語句の組合せとして最も適切なものは、次のうちどれか。

　生産統制における（　A　）では、製造管理部門から製造現場の各担当部門に対し、帳票類を用いて、それぞれの業務に必要な諸事項の生産指示を行う。（　B　）は、作業者に対して、作業の着手指示を行うものである。（　C　）は、運搬担当者に対して、その製造命令が経由すべき工程順序や作業順序を表示したものである。（　D　）は、原材料・部品の倉庫担当者に対して、資材の払い出しに関する伝達内容である。（　B　）については、作業者に手渡すのではなく、（　E　）と呼ばれる掲示器具に分類して置かれ、予定された作業が準備中、次作業、作業中なのかを区別して一覧できるような工夫を施して用いられる場合が多い。

ア．A：作業統制　　　B：検査票　　　C：移動票　　　D：出庫票
　　E：差立盤

イ．A：製作手配　　　B：作業票　　　C：移動票　　　D：出庫票
　　E：カムアップシステム

ウ．A：製作手配　　　B：検査票　　　C：出庫票　　　D：移動票
　　E：差立盤

エ．A：製作手配　　　B：作業票　　　C：移動票　　　D：出庫票
　　E：差立盤

オ．A：作業統制　　　B：作業票　　　C：出庫票　　　D：移動票
　　E：カムアップシステム

解答●p.119

3●工程管理の電子化

テキスト第3章第7節

工程管理の電子化に関する記述として不適切なものは、次のうちどれか。
なお、RFIDは、Radio Frequency Identification である。

ア．紙ベースによる情報の取り交わしは情報処理工数が膨大になるため、迅速な工程管理業務の遂行に電子化は不可欠である。

イ．JIT生産方式において、自社外のサプライヤー、納入業者から引き取るべき品物の種類と数量を、電子メッセージにして送信するとき電子かんばんを用いることがある。

ウ．生産時点情報管理の観点の1つとして生産情報のアップロードがあり、これは個々の職場や作業に対する生産指示や、作業に関わるそれぞれの機械を稼働させる制御プログラムなどを伝達する機能を持つ。

エ．ICタグは、電磁波を利用し無線を用いて非接触状態でタグの情報を読み書きできることからRFIDとも呼ばれ、その特徴は、バーコードと比較すると扱うデータ容量が大きい。

オ．生産時点情報管理システムが取り扱う工場管理におけるテーマとして、工程管理、設備管理、品質管理、原価管理、生産履歴データ管理がある。

解答● p.120

Ｉ●設備管理 ＞ 1●設備管理

2●設備管理の構成

テキスト第4章第1節

問題 39

設備管理に関する記述として適切なものは、次のうちどれか。

なお、PMはProductive Maintenanceである。

ア．設備のライフサイクルにおける設備投資計画段階では、設置後の需要を
予測し、景気変動と生産量のバランスを図る計画を立案する。

イ．設備管理では、設備計画段階と建設段階を合わせて目標管理の段階とい
う。

ウ．設備管理における技術的側面とは、価値管理からの検討を指している。

エ．いわゆるPMとは、設備管理の保全プロセスを意味している。

オ．設備投資では、保全費が経費に含まれるから、代替案の初期投資額だけ
を比較することが重要になる。

解答●p.121

3●生産保全

予防保全に関する記述として最も不適切なものは、次のうちどれか。

ア．状態監視保全は、使用中の動作状態の確認、劣化傾向の検出、故障や欠点の位置の確認、故障に至る記録及び追跡等を目的としている。

イ．時間計画保全には、予定の時間間隔で行う定期保全と、予定の累計動作時間に達したときに行う経時保全とがある。

ウ．保全対象が重要な設備で、その故障の前後の工程への影響が大きい場合の保全手段としては、状態監視保全より時間計画保全のほうが適している。

エ．定期的に部品を取り替えた場合、初期故障の可能性が高くなっているので、保全をしたために、かえって故障が発生しやすくなることがある。

オ．一般に、予防保全には費用がかかるが、設備の機能低下、機能停止等による損失のほうが大きければ、他の方法よりも、予防保全のほうが経済的である。

解答●p.122

重要、かつ、基本的に長期間の連続運転が必要な設備が故障すると、前後の工程に大きな影響を及ぼすことになる。このような場合の保全方法として最も不適切なものは、次のうちどれか。

ア．通常事後保全
イ．状態監視保全
ウ．時間計画保全
エ．保全予防
オ．日常保全

解答●p.123

Ⅰ●設備管理　＞　２●故障

1●故障率、寿命特性曲線

テキスト第4章第2節

以下の記述において、（　）に入る数値の組合せとして正しいものは、次のうちどれか。

MTBF＝20、MTTR＝5とするとき、故障率、修復率、アベイラビリティはそれぞれ（　A　）、（　B　）、（　C　）となる。ここでMUTはMTBFと等しいとする。なお、MUTとは平均動作可能時間（Mean Up Time）のことである。

ア．A：0.05　　B：0.2　　　C：0.2
イ．A：20　　　B：5　　　　C：0.8
ウ．A：0.2　　B：0.05　　C：0.8
エ．A：0.05　　B：0.2　　　C：0.8
オ．A：20　　　B：5　　　　C：0.2

解答●p.124

1●信頼性設計

問題
43

設備の信頼性設計に関する記述として不適切なものは、次のうちどれか。

ア．直列システムの信頼度は、各ユニットの信頼度関数の積で表される。

イ．冗長系のシステムの例として、並列システムが挙げられる。

ウ．フールプルーフとは、作業が間違っても、それを防止できるように工夫された仕組みのことを指す。

エ．並列システムの信頼度は、各ユニットの信頼度関数の和で表される。

オ．フェールセーフとは、故障が発生しても安全性が確保できるように配慮された設計がなされる考え方を指す。

解答●p.125

Ⅰ●設備管理 ＞ 3●信頼性・保全性設計

2● **保全性設計** テキスト第4章第3節

 問題 **44**

 H28後

保全性設計に関する説明として最も不適切なものは、次のうちどれか。

ア．傾向管理データが、簡便に行えるよう表示装置などを工夫する。

イ．系を安全に保つ方策として、自己診断機能を持たせることがある。

ウ．メンテナンスコストの低減のために、原価計算ソフトウェアを準備しておく。

エ．できるだけメンテナンス・フリーとなるように設計する。

オ．運転を止めないで検査するものを OSI（On Stream Inspection）と呼ぶ。

解答●p.127

Ⅰ●設備管理 ＞ 4●保全活動

1● 保全標準の作成と記録

テキスト第4章第4節

問題
45

保全に関する記述として最も不適切なものは、次のうちどれか。

ア．突発修理とは、設備検査によって予想できなかった故障の修理のことである。

イ．改修とは、予防修理に分類される状態基準保全である。

ウ．定期検査を行えば、その記録として定期検査記録を必ずつける必要がある。

エ．検査基準を作成し、検査基準表として整備していく必要がある。

オ．設備保全は、日常保全・検査・修理からなる。

解答● p.128

Ⅰ●設備管理　＞　4●保全活動

2●保全周期と取替方式　　　　　　　　　　テキスト第4章第4節

問題
46

H28前

保全周期と取替方式に関する記述として最も不適切なものは、次のうちどれか。

ア．2ヵ月に1回保全すれば充分な設備に対し、毎月保全を実施すると、保全実施による初期故障確率が高くなる。

イ．一般に、頻繁に保全を行うと、設備劣化による機会損失は低くなるが、保全費は高くなる。

ウ．「単位時間当たりの劣化損失」と「単位時間当たりの保全費」とを合わせた総費用が最小となる修理周期が、最適修理周期となる。

エ．劣化傾向管理をしている部品では、所定の劣化の水準まで機能が落ちてきた時点で取り替えなどを行う。

オ．取り替える部品費や手間があまりかからず、まとめて取り替えたほうが効率的であり、突発故障時の損失が大きい場合には、事後保全方式を採用するのがよい。

解答●p.129

＜集中保全の長所＞と＜分散保全の長所＞とがいずれも適切なものは、次のうちどれか。

＜集中保全の長所＞		＜分散保全の長所＞
ア．特定設備に対する習熟が容易である	___	全工場を対象に重点保全ができる
イ．現場監督が容易で、きめ細かな対応がしやすい	___	特定設備に対する習熟が容易である
ウ．現場監督が容易で、きめ細かな対応がしやすい	___	高度な保全技術を集積することが容易である
エ．全工場を対象に重点保全ができる	___	高度な保全技術を集積することが容易である
オ．全工場を対象に重点保全ができる	___	特定設備に対する習熟が容易である

解答 ● p.130

I●設備管理 ＞ 6●経済性評価

2●資金の時間換算

テキスト第4章第6節

問題 48

H29前

経済性評価に関する記述として適切なものは、次のうちどれか。

ア．年利率が正のとき、現価はn年後の終価より大きくなる。

イ．n年後の終価係数は、年利率に1を加えたものをn乗した値である。

ウ．現価係数は、n年後の終価係数のn乗根に相当する。

エ．減債基金係数は、年利率と現価によって定められる。

オ．年金現価係数は、資本回収係数に年利率を掛けた値である。

解答●p.132

問題 49

H27後

元本100万円で1年間に利子が3％付くとすると、5年後の元利合計は、次のうちどれか。ただし、有効数字は3桁とし、端数は四捨五入したものとする。

ア．103万円

イ．106万円

ウ．109万円

エ．113万円

オ．116万円

解答●p.132

資金の時間換算に関する記述として不適切なものは、次のうちどれか。

ア．最終時点の価値を終価と呼ぶ。

イ．減債基金係数の逆数を年金終価係数と呼ぶ。

ウ．現価係数の逆数を年金現価係数と呼ぶ。

エ．毎期末均等払いの価値に換算した価値を年価と呼ぶ。

オ．年金現価係数の逆数を資本回収係数と呼ぶ。

解答 ● p.133

生産管理オペレーション **2級**

● 作業・工程・設備管理

ビジネス・キャリア®検定試験
解答・解説編

F●作業管理 ＞ 2●作業設計

1●工程編成と作業設計　　　　　　　テキスト第1章第2節

問題 解答　　　　　　　　　　　　　　　　　　　H29前

正　解　イ

ポイント　作業設計についての基礎知識を問う。

解　説

ア．適切。運搬方法、特に運搬機器類の選定や方法の改善を行う場合は、採算性や一般的な安全性、公害・環境関連以外に、「物理的特性」、「運搬的特性」、「作業的特性」、「運用的特性」、「他のシステムとの関連性」を基本的に検討することになる。

イ．不適切。多品種少量生産でモノの流れが複雑な場合であるから、ライン編成よりグループ編成に向いている。

ウ．適切。この作業方式は、作業者が複数工程の作業を連続的に処理するために、仕掛在庫の削減や製造リードタイムの短縮といった効果が期待できる。また、結果的に作業者の多能工化が促進されるために、工程バランスの不釣合いを吸収しやすく、生産量や生産品種の変動に柔軟に対応することができる。

エ．適切。ある計画期間内での目標生産数量をQ、この計画期間内での総稼働時間をWTとすると、製造ラインのサイクルタイムCTは、以下のように計算される。

$$CT = WT \div Q$$

オ．適切。同期化供給方式では、製品1台分もしくは各工程で必要となる部品を1セットにしたうえで、これをラインの初工程やライン内の各工程に供給するマーシャリング方式（キット方式、セット方式とも呼ばれる）が併せて採用されることが多い。

問題 2 解答

正　解　ア

ポイント　工程編成についての基礎知識を問う。

解　説

ア．不適切。これはライン編成方式の長所である。

イ．適切。グループ編成方式は多種少量の製品を生産する場合に採用される
　　が、機能別編成では工程内のモノの流れが複雑になるため、一般に、生産
　　計画の策定には高い技術が必要となる。

ウ．適切。ライン編成は、生産する製品の工程系列を中心に、機械・設備や
　　作業者を配置する編成方法であり、機械間あるいは作業者間のスペースを
　　小さくすることにより、仕掛品の量を減らすことができる。

エ．適切。ライン編成方式を採用することによる問題として、工程間でのラ
　　インバランスが不均一となって生産性が低下する問題（特に、多種類の製
　　品を混合生産した場合）や、作業区分の細分化によって作業者の労働意欲
　　が低下する問題が挙げられる。

オ．適切。ライン編成方式は一般に、少種の製品を大量生産する場合に採用
　　され、流れ作業の形態をとる場合が多い。

2●治工具と動作・作業設計
テキスト第1章第2節

問題 3 解答

H28前

正　解　エ

ポイント　治工具と作業設計についての基礎知識を問う。

解　説

ア．適切。治具と同様な意味合いで、取付具という言葉が使われる場合もあるが、取付具は、作業の際に作業対象物を固定する装置をいう。

イ．適切。ガイド面や突き当て面を利用することで、組み付け精度を高めることができるが、作業精度を確保することが重要である。

ウ．適切。治具の固定具としての役割により、両手で対象物を保持する必要がなくなり、有効に活用できる。

エ．不適切。治工具設計の留意点に示された「治具への締め付けには、できるだけ動作数の少ない機構を利用すること」との記述がある。これは動作数が多いと、締め付け箇所の応力点が増し、均等で有効な締結が損なわれるためである。

オ．適切。動作経済の原則には、身体の使用に関する原則、作業域に関する原則、工具や設備の設計に関する原則があり、特に3つ目の原則は治具設計の参考となる。

　治具の設計にあたっては、動作経済の原則（特に、工具や設備の設計に関する原則）のほかに、次のような点にも留意することが必要である。

＜治具設計の留意点＞

　　○作業や加工の精度を確保できる設計であること。すなわち、基準設定のための方法や部位が正確に機能するかどうかが検討されていること。さらに、それらに変形・磨耗等の防止策が施されていること。

　　○治具への締め付けには、できるだけ動作数の少ない機構を利用すること。

　　○作業者の見える楽な位置で位置合わせ・調整作業が行えるようにすること。

○治具を採用することによる作業効率や作業精度の向上に対して、治具の導入によって発生するコストの経済性が考慮されていること。

○採算性を考慮した中で、部品のハネ出し機構や回転機構などの作業の効率性を高めるための運動機構が治具に備わっていること。

F●作業管理 ＞ 4●標準時間

1●標準時間の意義

テキスト第1章第4節

 問題 **4** 解答

H29前

正　解　　オ

ポイント　　標準時間の設定、作業習熟についての理解を問う。

解　説

ア．適切。標準時間は、定義にあるように習熟した作業者が正常のペースで作業を行った作業時間であるため、この選択肢のように、作業者が作業に習熟したかどうかの基準の1つとなる。

イ．適切。標準時間の設定は、作業に慣れ、ある作業時間に収束されてから行う必要がある。

ウ．適切。標準時間より実時間のほうが早い場合、作業手順などに従っていない場合があるため、確認が必要である。

エ．適切。作業者の習熟が進まない場合、作業手順や治工具、レイアウトなどに問題がある場合がある。

オ．不適切。習熟係数は、作業内容や作業者により異なるため他工程に適用するのは誤りである。

F●作業管理 ＞ 4●標準時間

2●標準時間の構成
テキスト第1章第4節

問題 **5** 解答

H28後

正　解　イ

ポイント　余裕時間についての理解を問う。

解　説

ア．適切。作業余裕は、不規則的に非周期で発生する場合に割り当てられる。本文章ではロット単位で定期的に発生するため付帯作業として扱い、その時間をサイクルタイムに配分する。

イ．不適切。標準時間は「習熟した作業者が」行う場合の時間である。

ウ．適切。職場余裕は、本来の作業とは無関係に発生し、職場での管理上の不備、又はほかからの制約により発生する避けられない作業の遅れをいう。

エ．適切。打合せも、上記ウに記した職場余裕の一部となる。

オ．適切。一般に、疲労には、作業者の精神的な問題も介在するために、これを把握することは非常に難しい。疲労余裕の設定にあたっては、疲労の性質と要因を十分に理解するとともに、各種の検証データや研究調査、事例報告を常日ごろから収集・調査しておくことが大切である。

3●標準時間の設定法　テキスト第1章第4節

 解答　H28前

正　解　　ウ

ポイント　標準時間の設定法についての基礎知識を問う。

解　説

ア．適切。ストップウォッチ法のように直接測定法による場合、作業ペースには個人差があることから、観測時間は個人ごとに異なるものになるため観測時間をそのまま標準時間として使用することはできない。作業者の持つペースを評価して、その職場の平均的な熟練度の作業者が持続可能なペースで行うときの作業時間に修正する必要がある。

イ．適切。ワークサンプリング法は、人や機械の稼働状況及び稼働種類を瞬間的に測定することを繰り返して、それらのデータから人や設備の稼働状況、各種稼働項目の時間構成比率を統計的に推定する方法である。

ウ．不適切。PTS法は「作業周期が短い繰り返し作業」に適している。

エ．適切。経験見積法は、設定者の経験に基づいて標準時間を見積もる方法で、繰り返しが少なく個別生産が行われる製品の設定に適した方法といえる。設定された値の精度や客観性は設定者の能力と経験に依存するが、一般に、設定値は主観的で、その精度は悪くなる傾向がある。

オ．適切。実績資料法は、過去の実績資料を基にして標準時間を見積もる方法で、繰り返しが少なく個別生産が行われる製品の設定に適した方法といえる。過去の実績資料を用いるために、簡便に時間値を見積もることができるが、一般に、設定精度は悪くなる。

4 ● 標準時間の利用

 解答

正　解　ア

ポイント　標準時間の利用についての基礎知識を問う。

解　説

ア．不適切。フェイルセーフ設計に関する記述であり、フェイルセーフ設計は、故障が発生しても安全性が保たれるよう配慮された設計がなされる考え方を指している。標準時間と作業の安全性には直接的な関係はないので、標準時間を用いてフェイルセーフ設計の適用箇所を設定することはない。

イ．適切。下記Ⅰの③を参照。

ウ．適切。下記Ⅱの③を参照。

エ．適切。下記Ⅲの②を参照。

オ．適切。下記Ⅲの⑥を参照。

　標準時間は、生産活動を計画・実施・評価する一連のサイクルの中のあらゆる活動を管理するための基礎資料として利用される。以下、その主なものを列挙する。

　Ⅰ　仕事の計画に関する利用

　　①必要人員（要員）の算定、雇用計画の立案

　　②原材料や部品の購入計画、外注内作を検討するための基礎資料

　　③納期の見積もり、生産可能数量の見積もり

　　④設備投資計画の経済性検討、設備の経済的設置数の算定基礎

　　⑤原価管理、原価見積もりと販売・入札価格を設定するための基礎資料

　Ⅱ　仕事の統制・管理に関する利用

　　①進捗管理のための目標工数、目標生産量の設定

　　②監督指導、教育訓練のための基礎資料

　　③工程のバランスや同期化のための各人が受け持つ仕事量の算定

　　④1人1日の作業量（仕事量）や設備の持ち台数の決定

⑤中日程計画、小日程計画の立案

Ⅲ　仕事の評価・改善に関する利用

①よりよい作業方法を選択・追求する際の基礎指標

②改善活動のための作業時間の構成内容（例えば、作業余裕や職場余裕の構成比率）の検討

③標準と実績との差異に注目した改善課題の洗い出し

④改善活動の進度評価のための基礎指標

⑤他工程や他職場、他企業とのベンチマーキング

⑥職務評価及び能率（奨励）給設定のための基礎資料

1●作業方法・時間・条件の管理   テキスト第1章第5節

問題 **8** 解答   H27後

正解 エ

ポイント 作業統制についての基礎知識を問う。

解説

ア．適切。作業指導書は作業標準書とも呼ばれ、作業標準によって規定化された、作業条件、作業方法、管理方法、使用材料、使用設備、作業要領等の情報が基本的に記載される。

イ．適切。作業統制において作業時間の動向を捉え、解析することが作業全体の適否の判定や改善を行ううえで最も簡明な方法である。

ウ．適切。作業条件は、作業能率に影響を及ぼすばかりではなく、劣悪な場合は、健康障害にまで発展する恐れがあるので、十分な管理が必要である。

エ．不適切。現場からの迅速な報告が欠かせない。トラブルが生じた場合は、組織として対応しなければならない。

オ．適切。標準時間の維持には、未熟練者に対する管理も重要な課題となる。これには未熟練者の実績時間を調べ、習熟状況を常時把握し、あらかじめ設定した標準的な習熟曲線と対比させて総合的な達成状況を捉える。また同時に、作業を単位作業や要素作業に分類し、各作業ごとに時間を測定して、その結果から未達成作業の重点的な指導を行うことも必要である。

F●作業管理　＞　5●作業統制

2●技能・性能の管理

テキスト第1章第5節

問題 **9** 解答

H29前

正　解　ウ

ポイント　作業技能の管理についての理解を問う。

解　説

ア．適切。作業者が取得しているスキルレベルを表にしたものを、スキルマップという。

イ．適切。自社で独自の作業技能認定制度を工夫することで、その企業の特徴を出していくことも大切である。

ウ．不適切。「各熟練作業者のやりやすい方法にまかせ」ではなく、誰でも行えるよう業務の標準化をすることが重要である。

エ．適切。OJTは指導者の指導力に左右されやすいため、均一な教育水準を保証するため教育プログラムが必要となる。

オ．適切。国や外部組織が行っている検定制度や資格認定制度の活用も重要である。

F●作業管理 ＞ 6●作業指導

1●作業指導の考え方

問題 **10** 解答

H28前

正 解 オ

ポイント 人材育成の手法として、各教育方法の特徴とメリットデメリットについての理解を問う。

解 説

ア．不適切。OJTについての文章であるが、OJTでは知識や理論を体系的に学ぶことは困難である。

イ．不適切。OJTには「未経験の職務に対応しにくいOJTの欠点」がある。よってこの選択肢は適切でない。

ウ．不適切。作業標準は管理者が決める。

エ．不適切。OJTは初期段階だけでなく、すべての段階で継続的に実施することが望まれる。

オ．適切。Off－JTに関するテキストの説明に沿ったものである。

F●作業管理 ＞ 6●作業指導

2●**教育訓練計画** テキスト第1章第6節

問題 **11** 解答 H29前

正 解 イ

ポイント 研修制度・小集団活動・職務設計など教育訓練・人材育成についての理解を問う。

解 説

ア．適切。職場での必要な技能体系の基準と、自社・外部の資格制度の基準との整合性をとり活用する必要がある。

イ．不適切。活動の課題は、グループの能力や状況に合った内容で、レベルの向上や相互啓発ができ、しかも職場に貢献し、効果測定が可能なものを目標（テーマ）にしなければならない。そのためには各職場に、常に工場全体の状況がフィードバックされる体制を確立する必要がある。

ウ．適切。ジョブローテーションは、担当する職場の内容を一定期間ごとに計画的に変えることによって、単調感をなくし、多能工化を推進し、広い視野を養い、作業者の能力向上を図る制度である。

エ．適切。小集団活動は、職場における作業者の能力向上やモラール（志気、やる気）の向上を期待されているが、その継続のための1つの方法として、表彰制度がある。

オ．適切。職務拡大（job enlargement）は、担当する職務の範囲を水平的に広げて、作業者の成長を図る活動である。

●参考文献
・日本経営工学会編「生産管理用語辞典」日本規格協会　2012

F●作業管理　＞　7●作業環境の設計

1●労働安全衛生管理と環境マネジメント テキスト第1章第7節

 解答

正　解　エ

ポイント　作業環境の設計における、働く人間と環境の相互関係についての理解を問う。

解　説

ア．適切。生産システムの計画と設計における環境の整備には、労働安全衛生管理の側面と環境マネジメント（環境管理）の側面がある。この2つの面に関する活動は、作業環境を管理し、その向上を図るうえで前提条件となる。

イ．適切。作業環境を管理するためには、①作業環境の物理的・化学的条件、②作業環境の心理的・社会的条件の2つの条件について考慮しなければならない。

ウ．適切。組織や事業者が、その運営や経営の中で自主的に環境保全に関する取り組みを進めるにあたり、環境に関する方針や目標を自ら設定し、これらの達成に向けて取り組んでいく活動が環境マネジメントであり、このための工場や事業所内の体制・手続等の仕組みを「環境マネジメントシステム」（EMS：Environmental Management System）という。

エ．不適切。「作業者の安全と健康」が適切。

オ．適切。作業環境は、人的及び物理的要素を組み合わせた対策が考慮されていることが望ましく、職場や作業域の配置もその対策の1つである。

F●作業管理 ＞ 7●作業環境の設計

3●空気調和

テキスト第1章第7節

問題 **13** 解答

H28後

正　解　　イ

ポイント　　空気調和の対象についての基礎知識を問う。

解　説

ア．適切。空気調和の対象である。

イ．不適切。騒音は、空気調和とは別で対応される項目である。

ウ．適切。空気調和の対象である。

エ．適切。空気調和の対象である。

オ．適切。空気調和の対象である。

　「空気調和」は、空間の使途に応じてその領域内の空気に備わる温度、湿度、輻射、気流、清浄度［じん（塵）あい、細菌、臭気、有毒ガス］及びそれらの分布を制御する行為である。

　その対象が人間であるか否かによって、保健用空気調和と産業用空気調和に大別される。空気調和のためには、暖房、冷房、加湿、除湿、循環及び浄化［換気、除じん（塵）、殺菌、脱臭、有毎ガスの吸着］が適宜組み合わされる。（JIS Z 8141：2001「5610　空気調和」）

1●改善の考え方

テキスト第2章第1節

問題
14 解答

H29後

正　解　ウ

ポイント　改善活動に関する考え方や、改善に関する用語についての理解を問う。

解　説

ア．適切。JIS Z 8141：2001「5301　工程改善」。

イ．適切。JIS Z 8141：2001「5302　作業改善」。

ウ．不適切。「モーションマインド」とは、「作業方法又は動作方法について、その問題点が判断でき、より能率的な方法を探求し続ける心構え」である。

エ．適切。改善活動を対象とした分析的アプローチでは、まず現状の問題点を的確に発見することが重要である。そのためには現状分析を改善テーマに応じて適切な手法を用いて行うことが必要である。

オ．適切。改善にあたっては、事象を観察・分類して、部分から全体を推測する帰納的アプローチが中心になる。つまり、個々の具体的事実から一般的・普遍的な法則を導き出そうとするものである。実際の改善では、改善の評価尺度（品質、コスト、納期、安全性、環境など）の決め方によって選択される改善案は変わる場合が多い。

3●改善の原則

テキスト第2章第1節

問題 **15** 解答

H28前

正　解　イ

ポイント　職場の改善における、改善の原則や考え方についての理解を問う。

解　説

ア．不適切。改善の原則を適用する際、「改善の対象を明確にし、対象全体の改善効果の目標を生産性や品質、コスト、納期、安全性、環境などの面から設定する」ことが前提であり、選択肢にある「多少の品質上の不安定要素がある」のは改善とならない。

イ．適切。選択肢にある現状分析が不十分であるから、改善案といえないので、助言と指導によって再考させることは、新人の教育の一環として適切である。

ウ．不適切。この選択肢にある「サイクル作業に」「不規則な」「ライン外の補助作業を追加する」と、そのサイクルタイムがそのときだけ増加し、ライン作業の停滞を引き起こす原因になるので、ライン生産において好ましくない。

エ．不適切。選択肢にある「ムダな動作であるが、作業者の個性を重視して変更しないこと」は、ムダの排除を主眼とする改善の原則の内のE（排除）の原則に反する。

オ．不適切。選択肢にある「現場リーダーからの指示で行っている」からといって、改善対象から外すのは、職場の改善の考え方にそぐわない。

G●職場の改善 ＞ 2●目標管理

1●目標の設定　　　　　　　　　　　　　テキスト第2章第2節

問題 **16** 解答　　　　　　　　　　　　　　　　　　　　H28後

正　解　ア

ポイント　目標管理や目標設定の具体的な考え方についての理解を問う。

解　説

ア．不適切。目標は総花的でなく、重点的なものに絞り、選んだ目標間にも重みづけをして、効率よく成果を上げるようにする。

イ．適切。目標は努力すれば達成できるもので、長期的目標と短期的目標のバランスをとり、ある目標に極端な重点を置きすぎないようにする。

ウ．適切。組織全体が定められた目標に向かって進む必要がある。

エ．適切。決められた期間が終了したときに、目標と実績を比較するためには、できる限り定量化できる項目とする必要がある。

オ．適切。目標管理は「目標設定」、「達成推進」、「評価」の3つの段階で構成され、改善活動やそのための研修は達成推進に必要な活動の1つである。

1●能率管理と総合能率　テキスト第2章第3節

 17 解答　H27後

正　解　オ

ポイント　能率管理についての基礎知識を問う。

解　説

ア．適切。能率管理とは、「能率に関する目標を設定し、管理を行う活動」（JIS Z 8141：2001「5601」）であり、その基本的な目的は、生産性の向上である。

　能率管理の基本的な生産性指標が総合能率であり、この指標を構成する作業効率や工数稼働率を中心に能率の分析や改善を行い、さらに作業方法の合理化なども含めて生産性の向上を図るのが能率管理である。

イ．適切。総合能率は、作業者責任と管理者責任を合わせた生産性指標のことで、「作業者の働きぶり×管理体制」を表している。

　　　　総合能率＝出来高工数÷就業工数

　　　　　　　　＝作業効率×工数稼働率

ウ．適切。能率管理における作業効率は、正味の能率のことで、作業者の責任である「作業者の働きぶり」を表している。

　　　　作業効率＝出来高工数÷（就業工数－管理ロス工数）

　　　　　　　　＝（標準工数×出来高）÷作業者責任工数

エ．適切。能率管理における工数稼働率は、管理者の責任である「管理体制」を表している。

　　　　工数稼働率＝（就業工数－管理ロス工数）÷就業工数

　　　　　　　　　＝作業者責任工数÷総工数

オ．不適切。作業ペースの低下や微小なロス時間、手直し時間等は「作業者責任ロス工数」のことである。「管理ロス工数」は、管理者の責任で発生する管理者ロス工数のことで、指示待ちや修理待ち、棚卸など作業者の責任以外で発生する無作業工数である。

●参考文献

・日本経営工学会編「生産管理用語辞典」日本規格協会　2002

1●工程編成の適正化 テキスト第2章第4節

問題 18 解答 H29後

正解 エ

ポイント 工程編成の考え方についての理解を問う。

解説

ア．適切。需要変動の幅は小さいが、変動の時間的・量的な予測が困難な場合は、基本的には次の2つの方策がとられる。

①需要変動を在庫で対応

②生産能力の調整と在庫で対応

イ．適切。設備の投資額が高い場合などの解消できない対策としては、定時以外の2直（2交代制）、3直（3交代制）などが行われ、その結果、多量の仕掛品が発生し、広い置場を必要とするなど流れが分断することになる。ボトルネック工程前後の仕掛品や工程編成のあり方をボトルネック工程と仕掛品置場を中心に計画することになる。

ウ．適切。「混合製品ライン生産方式」は「混合ライン方式」ともいわれ、1ラインに特定の複数の製品を混合して連続的に生産する方式である。この方式は、製品間の要素作業などに類似性が高く、製品切替時の段取がないか、段取時間が極端に短いことが要求されるが、各製品を混合して生産しているため在庫量を極端に少なくすることができる。

エ．不適切。専用ラインは長期的に特定の単一製品の生産に利用され、多種少量生産には向かない。

オ．適切。一人生産方式は、ライン生産と比べて、バランスロスや仕掛品がなく、単調感が減少し、品種切替なども容易であり、生産状況に合わせて小回りのきく生産ができるが、反面、持ち工程や部品、工具の数が多く動作ロスや習熟ロスが発生し、さらに規制力が弱く生産速度が遅くなりやすい欠点がある。

G●職場の改善 ＞ 4●工程編成（生産方式）の改善

3●グループ生産方式の改善

問題 **19** 解答

正　解　イ

ポイント　グループ生産方式の改善についての基礎知識を問う。

解　説

ア．不適切。ロット生産を単純に1個流しにすると段取作業が増え、作業改善にはならない。

イ．適切。グループ内外の運搬は、本質的に錯綜し、ムダが生じやすい。そこで、グループ間の運搬が最小になるように各グループを構成することや、グループ内の機械や工程間はその運搬量から位置を決めることなどの改善が効果的である。

ウ．不適切。生産上の変動があっても、配置替えをしないのが、グループ編成の特徴である。

エ．不適切。グループ編成では、同一の機能によってグループが構成されるから、技能向上などの管理になりがちであり、製品の流れの向上に留意して管理すべきである。

オ．不適切。グループ編成を再検討してその必要性があり、安全性が確保されればそのグループを分割することも可能である。

1●職場レイアウトの考え方と決定要因

テキスト第2章第5節

問題
20 解答

H28前

正　解　ア

ポイント　職場レイアウトの考え方についての基礎知識を問う。

解　説

ア．適切。生産現場の各工程の作業域内や、間接部門などの作業空間内の詳細な配置は、詳細レイアウトで行われる「動作配置」に分類され、IEなどを中心に必要な動作に基づいて作業順序を決め、設備、治工具、部品などの配置を行う。

イ．不適切。詳細レイアウトにおいては、生産に関する条件について将来発生する可能性のある与件も含めて検討しなければならない。

ウ．不適切。詳細レイアウトでは、作業空間の配置を決定するので、職場の形状も決定する。

エ．不適切。再配置に対する対策には、空地の集約化は含まれる。

オ．不適切。職場レイアウトは固定的であるが、設備や製造方法の変化や変更にも対応するよう検討しなければならない。

2● 運搬の合理化

問題 21 解答

正解 ア

ポイント 運搬の合理化の考え方についての基礎知識を問う。

解説

ア．不適切。「生産や保管の各段階ごとに運搬物の荷姿を単純化したり、標準サイズを決めて共通化を図る」ことは、運搬の標準化となり、運搬制度の適正化の1つである。

イ．適切。運搬には、運搬機器の購入費やその維持・運営費、労務費、補助器材費、面積費など各種のコストがかかり、しかも自動機器類などを導入すると固定化しやすく、生産条件の変化に対応できなくなる場合もあり、多大なロスを生じやすい。

ウ．適切。特性としては運搬機器類の操作性や保全性、安全性、作業の困難度、作業者の技能レベルや資格、監視方法などで、これに基づいて運搬計画や運搬情報の伝達方法、チェック・確認方法、責任体制などの適正なあり方が決まる。

エ．適切。運搬手段（運搬機器など）や運搬経路を単純化・標準化することによって機械化・自動化、運搬の互換性、作業の単純化を進めることができる。

オ．適切。「生産計画に基づいた計画的な運搬」、「日常の生産活動などで状況に応じて発生する運搬」、それらの運搬情報を管理や製造部門などから的確に伝達し、その結果を確実にフィードバックできる体制の確立が必要である。

1●作業評価の考え方と構成　テキスト第2章第6節

問題 **22** 解答

正　解　エ

ポイント　作業評価の進め方についての基礎知識を問う。

解　説

ア．不適切。改善活動で、重量を軽量化するとそれにつれて作業時間が短縮し、高品質化しても、その結果としてコストが増加し、不適合品率が増すと評価が困難になる。つまり多くの場合は、ある面がよくなると、一方が悪くなるなど利点と欠点が発生する。そこで評価項目（値）に重みづけをし、トレードオフ的な問題として、どの程度を実行すると総合的に最も効果的かを判断することになる。

イ．不適切。生産性を向上させる主な方策には、（a）投入量の低減で産出量の増大、（b）同一投入量で産出量の増大、（c）同一の産出量で投入量の削減が挙げられる。

ウ．不適切。作業評価の尺度では、物量尺度、時間尺度、金額尺度、それらの比率尺度とPQCDSMEとが組み合わされる。

エ．適切。必要時に、必要量だけ製品・サービスを提供できるような体制で企業活動を行う。主な方策として納期に対して操業度や稼働率を向上・維持しながら遅延を防止して納期を確保し、さらに生産期間を短縮して短納期化を図ることが挙げられる。

オ．不適切。モラールのJIS用語の定義は「集団の目標に向かって、集団成員の意志が統一され、集団の団結が固く、しかもその目標の達成に努力する気力に満ちた状態」である。（JIS Z 8141：2001「5604　モラール」）

2● 作業評価の種類

 解答

正 解　イ

ポイント　作業評価の管理指標についての基礎知識を問う。

解 説

ア．適切。労働生産性＝ 生産量(生産金額)　又は　付加価値÷労働人数(労働時間数)

イ．不適切。操業度＝実際(又は計画) 生産量(生産金額)÷標準生産能力

ウ．適切。
　　稼働率＝有効作業時間÷総実働時間　又は　実際生産量÷理論的生産量
　　　　　＝主体時間÷実働時間　又は　(主体時間＋準備時間)÷実働時間

エ．適切。直行率＝適合品数÷組立総数、クレーム件数・金額

オ．適切。歩留率＝完成量÷投入量

G●職場の改善 ＞ 6●作業評価の進め方

3●作業評価の基本手順　　　　　テキスト第2章第6節

問題 **24** 解答　　　　　　　　　　　　　　　H29前

正　解　エ

ポイント　作業評価における、基本手順の考え方と手順についての理解を問う。

解　説

ア．適切。生産活動の管理目標や改善活動の目標は、具体的で全員が納得できるものであり、評価しやすいものでなければならない。また、これら目標は、基本的には数値化できるもので、容易に測定できなければならない。

イ．適切。下記、基本手順の①参照。

ウ．適切。下記、基本手順の①参照。

エ．不適切。「特急品の発生や想定外の事項について」は、問題点を発見し、対策を検討できるように、管理指標を設定することが重要であり、これらを例外事項として除外してはならない。

オ．適切。下記、基本手順の⑤参照。

○作業評価の基本手順は以下のとおり。

　①企業の目的・方針・目標の明確化

　②対象の設定と現状の把握

　③管理目標の設定

　④管理指標の設定

　⑤実績と目標の差異の把握

　⑥原因分析と対策

1●工程管理の目的と流れ テキスト第3章第1節

 解答 H28後

正　解　エ

ポイント　工程管理の目的とそのための対策事項との関係についての理解を問う。

解　説

ア．適切。納期を確保することは、顧客が要求する時期までに、要求された製品とその数量を供給することであり、価格や品質と同様に取引上の絶対条件となる。

イ．適切。製造期間の短縮によって、短納期注文への対応や受注予測の精度が向上するので受注競争が有利になる。また、仕掛品や貯蔵品が減るので運転資金が節減され、資本の回転率が向上するとともに、納期確保の容易化、生産活動の効率向上、製造原価の引き下げなどの効果が期待できる。

ウ．適切。生産期間が受注期間（受注納期）より長い場合には、受注してから生産に着手したのでは、納期までに製品を完成できない。この場合は、生産期間を短縮するか、先行手配（見込調達や見込生産）をする必要がある。

エ．不適切。仕掛品を低減するためには、一般的なロット生産においては、ロットサイズを小さくすることが効果的である。

オ．適切。工程管理は、「生産性の向上や操業度の維持」と「仕掛品や在庫量の適正化と削減」にも配慮することにより、工程管理費用ないしは製造原価の低減、さらには生産・販売・物流活動の統合化やジャストインタイム化によってトータルコストの低減を図ることを目指している。

3●生産統制と緩衝機能

テキスト第3章第1節

問題 26 解答

H28前

正 解　イ

ポイント　生産統制と緩衝機能におけるモノによる緩衝についての理解を問う。

解 説

ア．適切。緩衝の種類には①モノによる緩衝、②能力による緩衝、③時間による緩衝の3つの方策があり、これは①に該当する。

イ．不適切。ボトルネック工程に対しては、この工程の前に仕掛品の中間在庫を置くと、この工程の生産能力の向上を図ることによって全工程の生産能力を上げることが期待できる。

ウ．適切。仕掛品在庫は、各工程間でバッファとしての役割を果たすことから、各工程が独立性を持ち、前後の工程の制約なしに効率的な生産を行うことができる。

エ．適切。製品在庫の緩衝があると、販売による需要の変動の影響を、生産計画や生産工程に直接受けることが避けられるために（独立性）、生産能力を安定して使うことができ、経済的に生産できる。

オ．適切。在庫量を決めるときには注意を要する。

３●標準時間の設定　　　　　　　　　　　テキスト第3章第2節

問題 **27** 解答　　　　　　　　　　　　　　　　　　H28前

正　解　　オ

ポイント　　標準時間の設定についての基礎知識を問う。

解　説

ア．適切。標準時間は、生産活動を計画（Plan）し、実施（Do）し、評価（Check）し、改善フィードバック（Act）する管理サイクルの時間的な基準といえる。

イ．適切。直接測定法は、作業対象が既にあり、その作業内容を直接観測することにより作業量を測定する方法である。

ウ．適切。間接測定法の１つであるPTS法は、ストップウォッチを使わない作業測定により作業時間を求める方法であり、直接測定法に対して次のような利点を持つ。

①平準化（レイティング）が不要

②作業方法を重視し、方法と時間を同時に決定可能

③客観性の高い時間設定が可能

④生産開始に先立つ事前設定が可能

エ．適切。JIS Z 8141：2001「5501　標準作業」。

オ．不適切。間接測定法は、測定対象の有無によらず、これまでの測定値や経験的数値などを集めて分析し、要素作業別の基礎時間資料を作り、この資料を用いて標準時間や作業量を求める方法である。観測時間に対して平準化をして、適切な標準時間を求める必要があるのは、直接測定法である。

1●工数計画と日程計画　　テキスト第3章第3節

問題 28 解答　　H28前

正　解　オ

ポイント　工数計画と日程計画、特に工数についての基礎知識を問う。

解　説

ア．適切。延べ作業時間である工数は、仕事量と生産能力の表示方法の1つである。

イ．適切。人的労働時間（作業時間）の延べ時間として、人日（man‐day）、人時（man‐hour）、人分（man‐minute）などの単位で表示される。

ウ．適切。工数計画とは、生産計画の生産予定表によって求められる製品別の生産量と納期に対して、所定の計画期間（普通は1ヵ月）に、それぞれの製品に対応した職場で、生産する製品別の仕事量（負荷工数）を決定する。そして、その仕事量に対して、計画期間の現有の生産能力（機械・設備や作業者の生産能力）を求め、両者の差が最小となるように調整することである。

エ．適切。一定期間における工程別・職場別の負荷工数と生産能力を比較することによって、生産能力の過不足の状態を把握することができる。過不足の状態を簡単に把握する方法として、工数山積み表がある。

オ．不適切。この記述は工数低減の記述である。したがって、不適切。余力管理は、各工程又は個々の作業者について、現在の負荷状態と現有能力を把握し、現在どれだけの余力又は不足があるかを検討し、作業の再配分を行って能力と負荷を均衡させる活動と定義されている。余力とは能力と負荷との差であり、工数管理ともいわれている。

●参考文献
・日本経営工学会編「生産管理用語辞典」日本規格協会　2002

2●負荷（負荷工数）と生産能力の工数換算　テキスト第3章第3節

 問題 **29** 解答　　　　　　　　　　　　　　　H29後

正　解　エ

ポイント　負荷工数と能力工数の算出についての理解を問う。

解　説

　負荷工数は、製品や部品を単位当たり製造するために必要となる標準時間（所要作業時間）と、一定期間内の必要生産量に基づいて次のように計算する。

　　負荷工数＝1個当たりの標準時間×一定期間内の必要生産量

　なお、「一定期間内の必要生産量」に対して「適合品率」を考慮しなければならない場合には、以下のように負荷工数を求めることがある。

　　負荷工数＝1個当たりの標準時間×一定期間内の必要生産量÷適合品率

　機械の生産能力を表す能力工数は、以下で求められる。

　　機械の生産能力＝特定期間の運転時間（実働時間）×稼働率×機械台数

　以上から、負荷工数、能力工数を求める。

　　負荷工数：5.5×1,520÷0.95=8,800

　　能力工数：9,600×0.85×1=8,160

　したがって、エが正解。

3●負荷と生産能力の調整

 問題 **30** 解答　　　　　　　　　　　　　　　　　 H29前

正　解　イ

ポイント　工数山積み表についての基礎知識を問う。

解　説

ア．適切。図表より、M1及びM2の負荷工数と生産能力の関係は記述のとおり。

イ．不適切。M3は負荷工数＜生産能力の状態である。選択肢の対策は負荷工数＞生産能力である。

ウ．適切。図表より、10のマシンアワーが足りない。

エ．適切。現状ではM2は1台であることから、2台にすれば生産能力が2倍となる。

オ．適切。図表より、生産能力に20の余力がある。

2●基準日程計画　　　　　　　　　　　　　　　　　テキスト第3章第4節

問題
31 解答

H29前

> **正　解**　　ア

> **ポイント**　　日程計画における基準日程計画に関連した基本知識及び代表的な手法についての理解を問う。

> **解　説**

日程計画における業務や技法に関する記述は、以下の内容である。

1：基準日程計画

2：手配番数

3：ガントチャート

4：クリティカルパス

5：CPM

したがって、アが正解。

3●計画の基本的な立て方

テキスト第3章第4節

問題 32 解答

H29後

正　解　オ

ポイント　計画の基本的な立て方についての基礎知識を問う。

解　説

　スケジュールの作成方法に関する記述における（　　）内の語句は、次のとおりである。

　A：処理開始時刻

　B：納期遅れ

　C：処理終了時刻

　D：稼働率向上

　E：納期遵守

　したがって、オが正解。

●参考文献

・日本経営工学会編「生産管理用語辞典」日本規格協会　2002

1●部品構成表 テキスト第3章第5節

問題 **33** 解答 H29前

正　解　イ

ポイント　サマリー型部品表とストラクチャー型部品表についての理解を問う。

解　説

○サマリー型部品

最終製品の加工順序や組立順序にとらわれず、最終製品を生産するうえで必要となるすべての材料や部品を一覧表の形式にまとめて表現した部品構成表である。

［特徴］

①最終製品の構造が単純。

②一部の構成が変わると利用できないため生産の継続性が少ない。

③中間部品がない。

④担当者が構造を把握しやすい。

○ストラクチャー型部品

最終製品の構成部品と必要数だけでなく、親部品と子部品の関係を部品の加工や組立順序を反映して階層的に表現した部品構成表である。

［特徴］

①最終製品の構造が複雑。

②一部の構成が変わっても利用できるため長期間にわたり生産される。

③中間部品がある。

④担当者が構造を把握しにくい。

　以上の記述より、A、Eはストラクチャー型、B、C、Dはサマリー型の特徴を示した内容である。

　したがって、イが正解。

●参考文献

・日本経営工学会編「生産管理用語辞典」日本規格協会　2002

2●部品展開　　テキスト第3章第5節

問題 34 解答　　H28後

正解　エ

ポイント　工程管理の部品展開についての理解を問う。

解説

ア．適切。部品所要量計算ともいう（JIS Z 8141：「3306　部品展開」）。

イ．適切。展開方法では、親部品から子部品へ展開するエクスプロージョン法（正展開ともいう）と子部品から親部品へ展開するインプロージョン法（逆展開）があり、一般には前者を用いる。

ウ．適切。展開形式では、ストラクチャー型部品表のレベルの捉え方により、下記の3種類の方法がある。

　①一段階展開

　　直接一段階下位（子）、あるいは上位（親）の部品を検索し、結果を表示する。

　②多段階展開

　　下位又は上位のすべての部品を階層（ツリー構造の段階）別に検索し、階層に準じて字下げして結果を表示する。

　③集約展開

　　下位又は上位のすべての部品を検索して、階層関係は考慮せずに同一部品を1つに集約して結果を表示する。

エ．不適切。所要量は上位品目の所要量×原単位×（1÷（1－不適合品率））で計算され1206.03となる。

オ．適切。有効在庫量とは、手持在庫量（実在庫量）に加えて、発注残（発注済みで近日中に納入予定の数量）と在庫引当量（近日中に出庫が予定されている量）を考慮した在庫量。下記の式により得られる。

　　　　有効在庫量＝手持在庫量－在庫引当量＋発注残

1●基本システム

問題 **35** 解答

正解 ウ

ポイント 生産管理の基本システムにおける製番管理方式の特徴についての理解を問う。

解説

　設問の1、3、5は製番管理方式、設問の2は追番管理方式、設問の4は流動数管理方式の内容。

　したがって、ウが正解。

○製番管理方式（オーダコントロールシステム）

　比較的高価な製品や引当部品の個別受注生産やロット生産で、従来から日本の工場で多く採用されている。

　［特徴］

　①製番によって顧客やその製品の納期が分かるため、個々の顧客の要求に対応しやすい。

　②前記に関連して、設計変更、規格変更などを製番によって購買指示・生産指示できるので、変更が関係する人に分かりやすい。

　③原材料・部品が品不足になり入手困難になったとき、影響を受ける受注（つまり顧客）をすぐに特定できるので、納期折衝がやりやすい。

○追番管理方式（シリアルナンバーシステム）

　累計生産数による一貫番号のことで、号機ともいう。

　［特徴］

　①計画に対する生産の進遅が明確になり、部品の生産数量の過不足が防止される。

　②ロット生産における不適合品発生時の処理が容易になる。

　③完成品の最終の追番と指示した最終の追番から仕掛数量が分かり、完成品や仕掛品の現品管理が容易になる。

④過剰な在庫や欠品が防止される。

○流動数管理方式（フローコントロールシステム）

　連続生産又は多量生産において用いられる管理方式である。仕掛品を適切に保持することによって、生産の安定と管理費の節減を図るシステムといえる。

3●MRP（資材所要量計画）システム　　テキスト第3章第6節

問題
36 解答

H28前

正　解　エ

ポイント　MRPシステムに関する基本的な概念や用語についての理解を問う。

解　説

A：プライオリティ・コントロール

　ショップフロアコントロール（現場管理）をすることであり、製造現場に対する「作業分配」の管理業務である。

B：PUSH生産方式

　中央生産管理機能を設け、生産計画量（最終組立日程）と部品展開から生産リードタイム、生産能力、及び在庫を考慮して各構成品の所要量を計算し、各工程に生産指示を行うもので、全工程の生産計画と統制を行う計画主導の生産計画モデルである。

C：タイムフェイズ

　生産スケジュールについて、連続した時間の流れを、適当な小時間域（例えば1週間など）で区切って連続した小区間に区切り、この小区間単位ですべての生産活動を計画・統制することである。

D：ラフカット能力計画

　工場の主要製造設備の製造能力と負荷状況を確認するために使う仕組みである。

E：独立需要品目

　その品目の需要が他の品目の需要との間で直接的に関係が見られない品目をいう。例えば、最終製品やサービス部品などである。

　したがって、エが正解。

2●工程管理情報の伝達　　　　　　　　テキスト第3章第7節

問題 37 解答

正　解　エ

ポイント　工程管理情報の伝達についての基礎知識を問う。

解　説

A：製作手配

　　工程管理における生産統制は、「製作手配」、「作業分配（差立）」、「作業統制」、「事後処理」という4段階に分けられる。製作手配では、製造管理部門から製造現場の各担当部門に対し、帳票類を用いて、それぞれの業務に必要な諸事項の生産指示を行う。

B：作業票

　　作業票は、作業者に対して、作業の着手の指示を行うものである。なお、作業票は直接、作業者に手渡すのではなく、後述する差立盤を介して、生産指示を実施することがある。

C：移動票

　　移動票は、運搬担当者に対して、その製造命令が経由すべき工程順序や作業順序を表示したものであり、作業票と一緒に渡される場合が多い。

D：出庫票

　　出庫票は、原材料・部品の倉庫担当者に対して、原材料・部品の出庫を指示するために使用する。この帳票による指示なしに原材料や部品を取り出さないことが、現品管理として非常に重要になる。

E：差立盤

　　差立盤は、作業票を分類して置き、予定された作業が準備中、次作業、作業中なのかを区別して一覧できるよう工夫が施された掲示器具である。

　したがって、エが正解。

3●工程管理の電子化

問題 **38** 解答

正解　ウ

ポイント　工程管理の電子化についての理解を問う。

解説

ア．適切。工場管理の情報化、生産管理の情報化、データベースの整備、さらには企業内及び企業間を結ぶ情報ネットワークの活用の推進は、迅速な管理業務を遂行するためには不可欠といえる。

イ．適切。後工程が自社内の前工程や、自社外のサプライヤー、納入業者から引き取るべき品物の種類と数量を、電子メッセージにして送信するとき、この引取情報を電子かんばんと呼ぶ。

ウ．不適切。生産情報のアップロードではなく、生産情報のダウンロードである。

エ．適切。生産情報のアップロードとは、工場現場で時々刻々に発生する生産に関わる情報を、その発生源である機械・設備、作業者、加工や組立対象の資材から、直接的に採取し、それをリアルタイムに処理して、現場管理者へ提供することである。

オ．適切。生産時点情報管理（Point Of Production：POP）は、「生産活動において発生する情報を、その発生場所で即時に収集し必要な指示を提供する情報管理システム」（JIS Z 8141：2001「4107」）であり、工程管理、設備管理、品質管理、原価管理、生産履歴データ管理など、工場管理におけるさまざまなテーマに利用されている。

2●設備管理の構成 テキスト第4章第1節

問題
39 解答 H28後

正 解 エ

ポイント 設備管理に関する用語と基本的な概念についての理解を問う。

解 説

ア．不適切。この段階では、正しくは、設置後の生産性を予測し、投資と収益のバランスを図る計画を立案する。

イ．不適切。これらの段階を合わせて、正しくは、PE：Project Enginnering という。

ウ．不適切。設備管理の技術的側面では性能管理に、またその経済的側面では価値管理について検討する。

エ．適切。この考え方は、設備のライフサイクル（開発－運用－保全－廃棄）にわたるトータルコスト（初期投資、運転費、保全費、廃棄費）を最小限にして、設備の生産性を高めようとするものである。

オ．不適切。設備投資では、ライフサイクルコスト、つまり初期投資額と保全費などのランニングコストとの収益に対する投資効果を考える必要がある。

Ⅰ●設備管理　＞　Ⅰ●設備管理

3●**生産保全**　テキスト第4章第1節

問題 **40** 解答　H29前

正　解　　ウ

ポイント　予防保全の各種方法について内容や特徴についての理解を問う。

解　説

ア．適切。状態監視保全とは、使用中の動作状態の確認、劣化傾向の検出、故障や欠点の位置の確認、故障に至る記録及び追跡などを目的として、連続的・定期的・間接的に状態を監視し、それに基づく予防保全を行うことである。

イ．適切。下図のとおり。

保全の分類

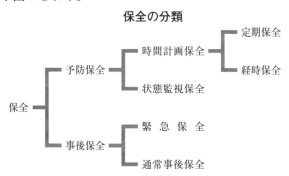

ウ．不適切。重要な設備の場合、保全による故障率増加のリスクを避けるため、状態を監視して、故障の兆候が見られたら直ちに保全を行うのが効率的である。したがって、この場合は時間計画保全より状態監視保全の方が適切である。

エ．適切。定期的に部品を取り替えた場合、部品があまり劣化していないにもかかわらず、故障が発生することがある。機械の設置直後や保全直後は初期故障の確率が高くなっているので、保全をしなければいままでどおり順調に稼働していたのに、保全をしたためにかえって故障が発生しやすくなるというリスクをも併せ持つ。したがって、できるだけ部品の限度いっ

ぱいまで稼働させ、異常の初期兆候が現れた段階で保全を行う、というのが最も効率的な保全といえる。

オ．適切。予防保全は、定期的な点検と劣化部位の事前取り替えを行うもので、費用がかかるが、設備の機能低下や機能停止などによる損失のほうが大きければ経済的である。

 解答

正解 ア

ポイント 保全方式の分類、使い方及び、その選択の考え方についての理解を問う。

解説

ア．不適切。設備が故障してから保全を行う事後保全方式では下流工程のラインが止まり損害が多大となる。

イ．適切。常に状態を監視して、異常の兆候が発見されれば直ちに保全が行われるこの方式は、極めて望ましいものである。

ウ．適切。故障をしていなくても定期的に保全を行うことで、事故・故障を未然に防ぐこの方法は望ましいものである。

エ．適切。企画設計段階から保全性を考慮する必要がある。

オ．適切。日常保全はどのようなケースでも必要である。

Ⅰ●設備管理　＞　2●故障

1●故障率、寿命特性曲線 <small>テキスト第4章第2節</small>

問題 **42** 解答 <small>H29前</small>

正　解　エ

ポイント　故障率、修復率、アベイラビリティについての基礎知識を問う。

解　説

アベイラビリィティ A は

$$A = \frac{動作可能時間}{動作可能時間＋動作不可能時間}$$

つまり　　　$A = \frac{MUT}{MUT＋MDT}$　　　…（1）

で示される。動作可能時間の平均値が平均動作可能時間（mean up time：MUT）であり、動作不可能時間の平均値が平均動作不可能時間（mean down time：MDT）である。

MTBFの逆数が λ（故障率）、MTTRの逆数が μ（修復率）である。

よって、$\lambda = 1 \div 20 = 0.05$, $\mu = 1 \div 5 = 0.2$ となる。

MUTがMTBFに等しい場合、（1）式は

$$A = \frac{MTBF}{MTBF＋MTTR}$$

$$= \frac{1}{1＋\dfrac{\lambda}{\mu}} = \frac{1}{1＋\dfrac{0.05}{0.2}} = \frac{0.2}{0.25} = 0.8$$

となる。

したがって、エが正解。

問題
43 解答　H29後

正　解　エ

ポイント　信頼性設計についての理解を問う。

解　説

ア．適切。直列システムの信頼度は、ユニットでの信頼度関数を$R_i(t)$と
すると、下式で得られる。

$$R(t) = \prod_{i=1}^{n} R_i(t)$$

イ．適切。冗長系（redundant system）システムの例として並列システム
が挙げられる。複数あるユニットでそのうちの1個のユニットが故障して
もシステムの機能は損なわれないことが特徴である。

ウ．適切。フールプルーフとは作業が間違っても、それを防止できるように
工夫された仕組みのことを指す。フールプルーフはバカよけあるいはポカ
よけとも呼ばれる。

エ．不適切。並列システムはシステムを構成するユニットが並列に構成され
ているもので、すべてのユニットが故障するとシステム全体の故障となる。
この場合のシステム信頼度は、下式で得られる。

$$R(t) = 1 - \prod_{i=1}^{n} (1 - R_i(t))$$

1つ目のユニットの信頼度を1/2、2つ目のユニットの信頼度を1/2とする
と、その2つのユニットを並列に並べた場合、このシステムの信頼度は、

$$1 - (1 - 1/2)(1 - 1/2) = 3/4$$

となる。

オ．適切。人間は常に正確な動作をするとは限らず、ボンヤリして誤操作を
行ったりする。また、設備は常に当初想定された環境で作動するとは限ら
ない。例えば、地震が起きたときなどである。そういったとき、装置が危
険な動作に至らず、安全側に制御されるように設計されなければならない。

これをフェールセーフ設計と呼ぶ。

I ●設備管理 ＞ 3 ●信頼性・保全性設計

2 ● 保全性設計　　　　　　　　　　　　　テキスト第4章第3節

問題
44 解答　　　　　　　　　　　　　　　　　H28後

正　解　ウ

ポイント　保全性設計についての理解を問う。

解　説

ア．適切。下記の⑥参照。

イ．適切。自己診断機能とはユニットに故障診断機能を付与し、定期的にその機能自体に問題がないか確認させる機能を指す。

ウ．不適切。メンテナンス低減のためには、経済性を考慮した保全性設計が必要になる。

エ．適切。下記の①参照。

オ．適切。回転機械に加速度センサーを取り付け、24時間監視する。異常の兆候が現れたら、いつごろ停止して軸受を取り替えるなどするといったことは、CBM（状態監視保全）の基本であるが、これは同時に運転を止めないで検査するものでOSI（On Stream Inspection）と呼ぶ。一方、運転中に行う修理をOSR（On Stream Repair）と呼ぶ。

メンテナンスを容易にするためには、次のような項目が挙げられる。

　①極力メンテナンスフリーとなるように設計する。

　②メンテナンスが容易となるよう、ユニット単位で簡単に取り替えられるように設計する。

　③メンテナンスに関わる作業における各種標準類を整備しておく。

　④メンテナンスが容易となるよう、異常診断ソフトウェア等を準備しておく。

　⑤メンテナンスが容易となるよう、各種データを記録保持し、傾向管理を行う。

　⑥傾向管理が簡便に行えるよう、表示装置などを工夫する。

　⑦メンテナンスが安全に行えるよう、工具類等を整理して保管・移動・活用できる仕組みを作っておく。

Ⅰ●設備管理 ＞ 4●保全活動

1● 保全標準の作成と記録

テキスト第4章第4節

問題 **45** 解答

H28後

正 解 イ

ポイント 保全標準の作成と記録についての理解を問う。

解 説

ア．適切。突発故障は操業上、前後の工程にも影響を及ぼすことが多く、緊急に修理対応を必要とされることが多い。

イ．不適切。改修は、予防修理とは異なる。

ウ．適切。保全を行えば、必ずその記録を付け、保存しておく必要がある。

エ．適切。検査は人によってチェックポイントが異なるようではいけない。検査基準を作成し、検査基準表として整備していく必要がある。

オ．適切。下図のとおり。

設備保全の構成

```
設備保全 ── 日常保全
         ├ 検　査
         └ 修　理 ── 突発修理
                  ├ 事後修理
                  ├ 予防修理
                  ├ 定期修理
                  ├ 改　修
                  └ 一般補修
```

2● 保全周期と取替方式
テキスト第4章第4節

 問題 **46** 解答

H28前

| 正　解 | オ |

ポイント　保全周期と取替方式についての理解を問う。

解　説

ア．適切。2ヵ月に1回保全すればよいものを毎月保全すると、保全実施による初期故障確率が高くなる。といって4ヵ月に1回で保全すると途中で故障に至り、事後保全となり、前後ラインへの影響が大きい場合は、大きな損失を伴うことになりかねない。このように保全周期は最適なものを決めなければならない。

イ．適切。一般的に、頻繁に保全を行うと設備劣化による機会損失は低くて済むが、保全費はかかる。逆に、保全の間隔を長くとると保全費は減るが、設備劣化による機会損失は大きくなる。

ウ．適切。修理の周期が短いと劣化損失費は小さく、逆に修理頻度が多いので修理費は大きくなる。その反対に修理の周期が長いと劣化損失費が大きくなり、修理頻度はトータル的に少ないので修理費は小さい。これらを合わせ最適修理周期としてはこの総費用が最小となる点を選べばよい。

エ．適切。保全周期は、予防保全であることから、時間計画保全と状態監視保全によって異なるが、いずれも設備の劣化傾向を設備の診断技術などによって管理し、故障に至る前の最適な時期に最善の対策を行うことになる。

オ．不適切。このような場合は、事後保全ではなく、一斉取り替えによる定期保全が適当である。

I●設備管理　＞　5●保全組織

1●保全組織の確立

テキスト第4章第5節

問題 47 解答

H28前

正 解　オ

ポイント　集中保全と分散保全の特徴についての理解を問う。

解 説

ア．不適切。左側は分散保全の長所、右側は集中保全の長所である。

イ．不適切。両方とも分散保全の長所である。

ウ．不適切。左側は分散保全の長所、右側は集中保全の長所である。

エ．不適切。両方とも集中保全の長所である。

オ．適切。下記「集中保全」の長所ア及び、「分散保全」の長所ウを参照。

　保全要員を1ヵ所に集中させ、トラブルが発生するとその現場に向かわせるという集中保全の方法と、普段各現場に保全要員を配置させておく分散保全の方法とがある。各保全の長所と短所は以下となる。

○集中保全

　①長所

　　ア　全工場を対象に重点保全することができる。

　　イ　要員を効率的に活用できるので、分散保全よりも人員が少なくて済む。

　　ウ　保全技術者の養成、高度な保全技術を集積することが容易である。

　　エ　保全責任が明確である。

　　オ　保全用設備や工具、資材が集中的に配置されて、少なくて済む。

　②短所

　　ア　保全部門と生産現場との一体感が欠如する。

　　イ　現場監督が困難で、分散保全に比べて現場へのきめ細かな対応がしにくい。

　　ウ　特定設備に対する習熟が困難である。

○分散保全

①長所

 ア 現場監督が容易で、きめ細かな対応がしやすい。

 イ 生産現場との一体感が強い。

 ウ 特定設備に対する習熟が容易である。

 エ 保全作業が状況に応じて的確・迅速に行われる。

 オ 作業の日程調整が容易である。

②短所

 ア 保全技術者の養成、高度な保全技術を集積することが困難である。

 イ 保全員の効率的な活用が困難で、セクショナリズムも生じやすい。

 ウ 保全用設備や工具、資材が分散配置されて、多くなる。

2●資金の時間換算

テキスト第４章第６節

問題 **48** 解答

H29前

正　解　イ

ポイント　経済性分析に関する基本用語と定義式についての理解を問う。

解　説

ア．不適切。終価は、（１＋年利率）を n 乗し、これに現価を掛けて得られるから、正の年利率では現価は、終価より小さくなる。

イ．適切。年利率を i とすると、n 年後の元利合計は、下式となる。S が終価である。

$$S = (1 + i)^n P$$

ここで、$(1 + i)^n$ を終価係数と呼び、$[P \rightarrow S]_n^i$ と表わす。

ウ．不適切。現価係数は、終価係数の逆数である。

エ．不適切。減債基金係数は、年利率と年数によって定められる。

オ．不適切。年金現価係数は、資本回収係数の逆数である。

問題 **49** 解答

H27後

正　解　オ

ポイント　資金の時間換算についての理解を問う。

解　説

５年後の元利合計は、以下で求められる。

$1{,}000{,}000 \times (1 + 0.03)^5 = 1{,}159{,}274.074\cdots = 1{,}160{,}000$ 円

終価係数の値：

$(1 + 0.03)^5 = 1.159274074\cdots = 1.16$

したがって、オが正解。

問題 **50** 解答

H29後

正解 ウ

ポイント 資金の時間換算についての理解を問う。

解説

ア．適切。最終時点を n とするとき、最終時点の価値（final value）を終価と呼ぶ。

イ．適切。年金終価係数は、

$$\frac{(1+i)^n - 1}{i}$$

で求められ、$[M{\to}S]_n^i$ と表す。

ウ．不適切。現価係数の逆数は終価係数と呼ぶ。

エ．適切。毎期末均等払いの価値に換算した値（annual value）を年価と呼ぶ。

オ．適切。資本回収係数は現価 P から年価 M を求めるための係数である。

資本回収係数は、$\dfrac{i(1+i)^n}{(1+i)^n - 1}$ で求められ、$[P{\to}M]_n^i$ と表す。

ビジネス・キャリア®検定試験 過去問題集

解説付き

BUSINESS CAREER

生産管理
オペレーション

2級

● 購買・物流・在庫管理

生産管理オペレーション **2級**
● 購買・物流・在庫管理

ビジネス・キャリア®検定試験
過去問題編

F●資材・在庫管理　＞　1●資材管理

2●資材管理の業務

H29後

資材管理組織の形態Ａ、Ｂの説明として適切な組合せは、次のうちどれか。

Ａ：横割式組織　　Ｂ：縦割式組織

①機能の性質上の区分に応じて担当部門を分ける組織形態である。
②製作品種別に分ける組織形態である。
③適材配置と技能の専門化が図れ、人材の有効活用ができる。
④製品ごとに一貫した管理が容易になり、事務処理が迅速化できる。
⑤集中的・統一的な管理ができ管理の高度化を期待できる。

ア．Ａ－①③④　　　Ｂ－②⑤
イ．Ａ－①③⑤　　　Ｂ－②④
ウ．Ａ－①④⑤　　　Ｂ－②③
エ．Ａ－②③④　　　Ｂ－①⑤
オ．Ａ－②③⑤　　　Ｂ－①④

解答●p.188

H26後

資材管理業務に関する記述として適切なものは、次のうちどれか。

ア．資材管理業務の組織としては、分散型組織が望ましい。
イ．横割式組織では、適材配置と技能の専門化が図れない短所がある。
ウ．縦割式組織とは、製作品種別に分ける組織形態のことである。
エ．共通的な材料や常備材料が多い場合には、設計部門が資材管理機能を担

当する。

オ．資材計画、購買・保管の実施及び統制の機能は、分離せずに、1つの部
　署で担当する。

解答 ● p.188

F●資材・在庫管理 ＞ 2●購買管理

1●購買方針と購買計画　　　　　　テキスト第1章第2節

購買計画に関する記述として適切なものは、次のうちどれか。

ア．内外製区分の判定基準は、品質確保と価格の採算性の2つである。

イ．一般的に客先から短納期や緊急を要請される品目は外製すべきである。

ウ．一般的に自社の製造原価より安価となる品目は外製すべきである。

エ．一般的に独自の技術や設備を必要とする品目は外製すべきである。

オ．取引先の決定にあたり、複数社発注方式ではリスクが多くなる短所がある。

解答●p.189

2●購買方式

購買方式に関する記述として適切なものは、次のうちどれか。

ア．随意契約方式とは、購買先が数社に限定されている場合、順番を決めて購買する方式のことである。

イ．当用買い方式とは、価格に変動がある資材を相場が低落したと思われる時期に、多量にまとめて購入する方式のことである。

ウ．系列購買方式では、取引が安定していることから、価格面でも割安になる。

エ．競争入札方式では、数社の購買先から見積書をとり、最低価格の業者から購買する。

オ．特命購買方式とは、得意先から購入して、互いに売上高を増大させる購買方式のことである。

解答 ●p.190

＜Ⅰ群＞に示す購買方式、＜Ⅱ群＞に示す説明及び＜Ⅲ群＞に示す対象適用例の組合せとして適切なものは、次のうちどれか。

＜Ⅰ群＞
A．見積合せ方式
B．長期契約方式
C．随意契約方式
D．思惑買い方式
E．即納契約方式

＜Ⅱ群＞

1．価格変動のある品目を、最適と思われる時期に、多量にまとめて購入する方式

2．事前に単価を決めておき、電話、FAX等により納入させる方式

3．事前に購買先に内示し、納入は発注側の要求日に分納させる方式

4．指名した2社以上から見積書を取って、最も有利な条件の購買先から購入する方式

5．購買先が数社に限定される場合、担当者が交渉した後に、最も有利な条件の購入先から購入する方式

＜Ⅲ群＞

a．特殊品や交渉によって、価格低減が容易な品目

b．高価格や特別な仕様で、複雑な品目

c．農水産物等の品目

d．自社における規格品の常備品、一般部品等の品目

e．安定した計画生産に使用される資材、部品等の品目

＜Ⅰ群＞	＜Ⅱ群＞	＜Ⅲ群＞
ア．A	4	d
イ．B	3	e
ウ．C	1	a
エ．D	5	b
オ．E	2	c

解答 ● p.190

問題 6

H29後

簡易購買方式として不適切なものは、次のうちどれか。

ア．預託方式

イ．協定単価方式

ウ．即納契約方式

エ．自動販売機方式

オ．系列購買方式

解答 ● p.191

F●資材・在庫管理　＞　2●購買管理

3●購買の調査・分析 テキスト第1章第2節

購入価格の分析に関する記述として不適切なものは、次のうちどれか。

ア．比較法とは、類似品の価格又は現品見本と比較対照して、価格の適正度合いを検討しようとする方法である。

イ．材料費比較法とは、材料費の占める割合が高い購買品や外注品に適用する手法のことである。

ウ．予算方式は、目標利益が決まっている場合に、許容原価を任意に設定して売価を決める方法である。

エ．前値価格との比較法は、購入品目ごとの購入単価一覧表により、単価の推移を見て前回と今回の見積もり単価を比較して評価する方法である。

オ．コストテーブルとは、コストを決める要因とコストの関係を定量化して、数表化又は図表化したものである。

解答●p.192

F●資材・在庫管理　＞　3●外注管理

1●外注利用の目的

外注管理に関する記述として最も不適切なものは、次のうちどれか。

ア．外注利用の目的の1つに、コストの低減を行うことがある。

イ．外注により自工場の生産能力不足を補い、需要変動に対応することがある。

ウ．専門技術が発注企業にない場合、外注を行う。

エ．一般的に大規模企業では、原価の引き下げよりも、資本不足の補充を目的に外注を利用することが多い。

オ．外注により関連企業の充実と協力体制の確立を行う。

解答●p.193

F●資材・在庫管理　＞　3●外注管理

2●外注品の品目形態

テキスト第1章第3節

問題 9

H29前

外注利用に関する記述として最も不適切なものは、次のうちどれか。

ア．外注先で使用される材料の支給方式においては、無償支給方式を採用するのが一般的であり、今後もその方向で進めることが望ましい。

イ．今後の発注方式としては、単工程外注や部品の一貫外注方式よりも、ユニット発注により組立・調整・検査まで依頼し、受入検査も省略化する方向が望ましい。

ウ．能力のある外注先に対しては、設計、金型や治具の製作、材料の調達及び製造まで発注することが望ましい。

エ．社内外注方式においては、品質・納期・原価に関する効果があるので多く採用されているが、運営上のルールを明確にしておくことが望ましい。

オ．海外調達方式においては、コスト面での効果はあるが、事前に契約の明確化、品質や納期面での指導とチェック体制を整備しておくことが必要である。

解答●p.194

3●外注先の選定と外注価格

テキスト第1章第3節

外注価格の設定として適切なものは、次のうちどれか。

ア．協議方式とは、外注先を1社だけに限定して指名する方式である。

イ．随意契約方式とは、重要度の高い外注品の価格決定方式として最も多く採用されている方式である。

ウ．見積合わせ方式とは、発注者が発注する前に、自社の価格資料から標準的な価格を出す方式である。

エ．実費計算方式とは、試作品のような場合に適用される方式である。

オ．特命契約方式とは、指定した数社の外注先から価格見積もりをとり、最も安い価格の外注先に決める方式である。

解答●p.195

F●資材・在庫管理　＞　3●外注管理

4●外注先への発注方式

テキスト第1章第3節

外注先への発注方式に関する記述として最も不適切なものは、次のうちどれか。

ア．単工程外注方式は、ピストン式外注ともいわれている。

イ．ユニット外注方式は、部品のユニットを完成品の状態で納品させる方式である。

ウ．社内外注方式は、自社工場内の建物や機械・設備を貸与して加工を依頼する方式である。

エ．完全外注方式は、出張外注ともいわれている。

オ．一貫外注方式は、部品の全加工を特定の外注先に一括して発注する方式である。

解答●p.196

5● 外注先の管理・指導 テキスト第1章第3節

 問題 **12**

 H28後

外注先の管理・指導に関する記述として不適切なものは、次のうちどれか。

ア．外注工場に対する実態調査は、一般的には所定の調査表により不定期・ランダムに行い、調査項目としては、外注工場の基本的事項のほかに、生産実績などがある。

イ．リンク制度は、納期の遵守程度により格付けを行って、納期意識を高めようとする制度である。

ウ．リンク制度では、格付けランク別に、次回からの発注量を増減したり、必要に応じて、指導又は取引停止を行うことが一般的に採用されている。

エ．ボーナス・ペナルティ制度は、外注品の納期遅延と品質不良を根絶することを目的とした金銭的な刺激制度である。

オ．ボーナス・ペナルティ制度においては、発注企業の指定した納期どおりに、適合品を納入した外注先には、ボーナス（賞金）を与える。

解答●p.197

F●資材・在庫管理　＞　3●外注管理

6●外注の品質管理
テキスト第1章第3節

問題 **13**

H28前

以下の＜事例＞を読み、＜問＞に答えなさい。

ただし、TPMは、Total Productive Maintenanceのことである。

＜事例＞

A社（従業員：約50名）は、マシニング装置、NC装置等の機械装置を使い、製品である「精密金属部品」の加工を行っている。A社と発注元企業（以下、発注メーカーという）の取引上の関係は、外注（下請）取引契約の対象となっている。発注メーカーの1つで、主要取引先のD社からのA社への品質評価は、協力会社の中でも中・下位グループであると指摘されている。D社では、A社の切削加工による「精密金属部品」に期待しており、品質の上位グループに定着してほしいと思っている。また、他の発注メーカーからの2者監査（ISO9001）を受けた際、標準化の遅れや工程の監視・測定の仕組みの遅れ、設備保全の取り組みの弱さなどを指摘されている。

＜問＞

A社における、発注メーカーの要求する製品を製造するための品質管理活動に関する記述として最も不適切なものは、次のうちどれか。

ア．自社の工程能力を把握し、品質水準向上への取り組みを強化する。

イ．日常の発注メーカーとの品質情報が円滑・迅速・的確に行えるように責任者と担当者を決める。

ウ．要求品質展開表を作成し、社内への周知を徹底するとともに発注メーカーにも提供する。

エ．製造工程の管理を充実・強化するために作業指導書（作業標準書）などを導入する。

オ．設備等の管理を充実・強化するためTPM活動を導入する。
解答●p.198

F●資材・在庫管理　＞　4●在庫管理

1●**在庫の機能と種類**　　　　　　　　　　　　テキスト第1章第4節

問題 **14**

H29前

在庫管理に関する記述として最も適切なものは、次のうちどれか。

ア．定量発注方式は、差額調整方式ともいわれ、発注周期は常に一定である。

イ．活動在庫は、現在活発に流動して使用されている在庫品であり、可能な限り余裕を持って在庫する必要がある。

ウ．一定期間の発注費用と在庫維持費用の和を最小にする1回当たりの発注量を、経済的発注量と呼ぶ。

エ．需要が従属需要型の場合、代表的な在庫管理技法として定期発注方式がある。

オ．MRPシステムでは、実際の生産が計画どおりに行われても安全在庫は高い水準で保持しなければならない。

解答●p.199

F●資材・在庫管理　＞　4●在庫管理

2●発注方式と適用

テキスト第1章第4節

下図は、ある発注方式における在庫量の変動を示したものである。単位期間平均需要量がDであるとき、この図の説明として適切なものは、次のうちどれか。

なお、Q^*は発注量、Pは発注点、Lは所要調達期間とする。

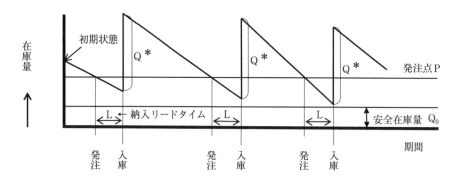

ア．この図は定期発注方式における期間と在庫量変動を表したものである。

イ．この発注方式における発注点Pは、$P = Q_0 + D \times \sqrt{L}$ となる。

ウ．この発注方式における安全在庫量は、安全係数×D×Lで与えられる。

エ．この発注方式において、最大在庫量 $= 2Q^* = 2P$ のとき、ダブルビン法となる。

オ．この発注方式の適用品目の対象としては、品目が少なく、単価又は総額が高いものが挙げられる。

解答●p.200

F●資材・在庫管理　＞　4●在庫管理

3●経済的発注量

問題
16

経済的購入ロットの実務への適用可否に関する記述として最も適切なものは、次のうちどれか。

ア．経済的購入ロットは、資金繰りや代金支払い条件を考慮せずに適用できる。

イ．経済的購入ロットは、大幅な販売計画や生産計画に変更のあるものにも適用できる。

ウ．経済的購入ロットは、保管中に劣化する品目や陳腐化する品目にも適用できる。

エ．経済的購入ロットは、共通資材で年間需要数も安定している資材に適用できる。

オ．経済的購入ロットは、その計算単位が、納入業者の定める取引単位より小さい品目にも適用できる。

解答●p.201

F●資材・在庫管理　＞　4●在庫管理

4●流動数分析
テキスト第1章第4節

問題 **17**

H28前

流動数分析に関する記述として適切なものは、次のうちどれか。

ア．流動数分析の目的は、繰り返しのない受注生産に対して、仕掛量などの管理や生産工程の進捗状況を把握することである。

イ．流動数曲線とは横軸に工程の作業時間をとり、縦軸に在庫数量（流動数）をとる。

ウ．流動数曲線のグラフでは、受入累計数と払出（完成）累計数の縦方向の差が仕掛数（在庫量）を示している。

エ．流動数曲線のグラフでは、受入累計数と払出（完成）累計数の横方向の差が機械の遊休時間を示している。

オ．流動数曲線グラフでは、期首における受入累計数と払出（完成）累計数の差により、安全在庫量を決定する。

解答●p.202

5●生産管理システムと在庫 テキスト第1章第4節

生産管理の基本システムに関する記述として不適切なものは、次のうちどれか。

ア．製番管理方式においては、個別生産のほか、ロットサイズの大きい場合（品種ごとの月間生産量が多い場合）のロット生産において用いられることが多い。

イ．追番管理方式とは、継続生産における部品の数量統制方式のことで、号機管理方式とも呼ばれる。

ウ．流動管理方式とは、各工程が基準を確保し、当期仕込み量に従ってワークを供給して、生産を統制する方式のことである。

エ．常備品管理方式とは、材料、部品、製品を常に一定量保管しておく工程管理システムの一方式のことである。

オ．部品中心生産管理方式では、部品の共通性に着目して適正水準の在庫を保持し、それらの部品を組み合わせることにより、多様な注文に応じている。

解答●p.203

生産管理システムと在庫に関する記述として最も不適切なものは、次のうちどれか。

ア．製番管理方式は、受注生産において適用され、基本的には製品在庫は持たない方式である。

イ．流動管理方式は、各工程で基準仕掛量が確保され、常に一定量の仕掛在

庫を持つ方式である。

ウ．追番管理方式は、追番ごとに必要な資材が必要量だけ手配され、過不足なく生産する方式なので、基本的には製品在庫や中間在庫は持たない方式である。

エ．かんばん方式は、後工程が前工程に必要なものを、必要なときに、必要な量だけ引き取りに行くので、製品在庫や仕掛在庫及び資材在庫は全く持たない方式である。

オ．MRPシステムは、予想される需要を事前に捉え、それを基準生産計画に反映させ、資材所要量計画を行うが、想定以上の需要変動があると、計画外の製品・仕掛品・資材の在庫が発生する方式である。

解答● p.204

F●資材・在庫管理　＞　5●資材の標準化と価値工学（VE）

1●資材の標準化

テキスト第1章第5節

H28前

資材標準化に関する記述として不適切なものは、次のうちどれか。

ア．企業規模や業種にかかわらず、生産工場においては、資材標準化は必要である。

イ．資材標準化により、品質は安定し、生産期間の短縮、購入単価の引下げが期待できる。

ウ．資材標準化を進め過ぎると、市場の変化に対応することが困難となり、販売面でも不利になりやすい。

エ．新製品開発の設計における資材標準化は、JIS、ISO及び標準数等を積極的に利用し、VEでの展開は、二次的に考えることが望ましい。

オ．資材標準化は、製品企画や開発設計の段階から適用すれば、その効果はより大きくなる。

解答●p.205

3●価値工学（VE）　テキスト第1章第5節

問題 **21**

H26後

価値工学における価値の測定尺度は、V（価値）、F（機能）、C（コスト）の関係式で表される。FとCの関係から価値が高まる方策として不適切なものは、次のうちどれか。

ア．Fを2倍にし、Cを1/2にする。

イ．Fを1.5倍として、Cを一定とする。

ウ．Fを一定にして、Cを1/3にする。

エ．Cを1.5倍とし、Fを3倍にする。

オ．Cを2倍にし、Fを1.5倍とする。

解答●p.206

問題 **22**

H29前

価値工学（VE）に関する記述として最も不適切なものは、次のうちどれか。

ア．VEでは、製品の機能を使用機能と魅力機能に分けて考える。

イ．VEを採用することによる効果として、製品の原価引き下げと価値向上が期待できる。

ウ．VEにおける価値を高めるアプローチ方法の1つとして、同じ機能のものをさらに安いコストで実現することが挙げられる。

エ．設計・試作段階でVEを適用することをファーストルックVE、購買・生産段階での適用をゼロルックVEと呼ぶ。

オ．VEの基本的な実施手順は、機能定義、機能評価、そして代替案の作成という3つのステップで進める。

解答●p.207

1● 資材・在庫管理に必要な情報

テキスト第1章第6節

H29前

以下に示される生産情報管理システム図における①〜④と、＜用語群＞に示されるA〜Dとの組合せとして適切なものは、次のうちどれか。

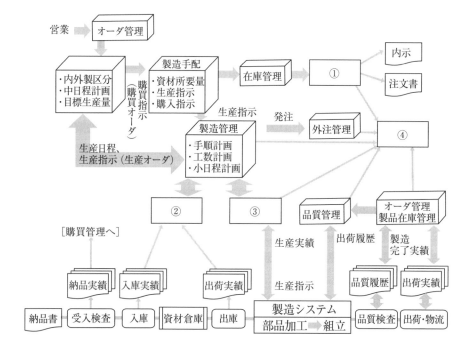

＜用語群＞

- A．購買管理
- B．進捗管理
- C．倉庫管理
- D．原価管理

ア．①−A　　②−B　　③−C　　④−D

イ. ① – D ② – C ③ – B ④ – A

ウ. ① – A ② – C ③ – B ④ – D

エ. ① – D ② – B ③ – C ④ – A

オ. ① – A ② – C ③ – D ④ – B

解答●p.208

3●資材・在庫管理の電子化

テキスト第1章第6節

問題 24

H29後

資材・在庫管理の電子化に関する記述として適切なものは、次のうちどれか。なお、RFIDはRadio Frequency Identification、POPはPoint of Production、ERPはEnterprise Resource Planning、LANはLocal Area Networkである。

ア．無線ICチップに埋め込まれている情報は、バーコード・シンボルとも呼ばれる。
イ．RFIDに記録される情報量は、バーコード・シンボルで表示される情報量よりも少ない。
ウ．POPでは、現場の生産情報をバッチ処理している。
エ．ERPとは、基幹業務の一元化されたデータを整理し、各種意思決定に役立たせるソフトウェアパッケージのことである。
オ．LANとは、建物構内や企業組織内に敷設されたコンピュータネットワークのことで、光ケーブルを使用するものに限定される。

解答●p.210

F●資材・在庫管理　＞　7●関連法規

1●下請法　　　　　　　　　　　　　　テキスト第1章第7節

問題
25

H29前

下請法に関する記述として最も不適切なものは、次のうちどれか。

ア．下請法は、親事業者に対し、取引における代金の支払遅延等を防止することにより、下請取引の公正化と下請事業者の利益を保護することを目的とした法律である。

イ．下請法は、親事業者の義務と禁止事項について規定している。

ウ．下請法が適用される取引内容は、物品の製造委託や修理委託等であり、製造業や建設業等の取引当事者の業種が定められている。

エ．親事業者が下請法に違反した場合、公正取引委員会からの勧告内容は、違反行為の取りやめ、原状回復、再発防止措置のほか、企業名、違反事実の概要等が新聞等に公表される。

オ．親事業者が下請法における違反行為を行った場合、違反行為者である個人（親事業者の代表者・従業員等）が罰せられるほか、企業（法人）も罰せられる。

解答●p.211

問題
26

H28後

下請法に関する記述として不適切なものは、次のうちどれか。

ア．下請法は独占禁止法の特別法として制定された法律である。

イ．下請法では、親事業者に対して6つの義務を課している。

ウ．下請法は、適用の対象となる下請取引の範囲を、取引当事者の資本金区分と取引内容の両面から定め、2つの条件が重なった取引に適用される。

エ．下請法では、親事業者に対して禁止事項が課せられている。

オ．下請法では、違反行為に関する勧告は、公正取引委員会によってなされ
　る。

解答●p.212

2●外注取引契約

テキスト第1章第7節

問題
27

H27後

外注（下請）取引契約に関する記述として最も不適切なものは、次のうちどれか。

ア．外注取引においては、独占禁止法や下請法のほか、下請中小企業振興法などによって取引の適正化を図る。

イ．契約は、書面契約でも口頭契約でも原則として有効であるが、下請法では書面の交付義務がある。

ウ．個別契約の共通的事項を必要とする場合は、別に付帯契約を締結する。

エ．長期間にわたって継続して取引する場合の契約は、基本契約と個別契約とに分けて実施するのが一般的である。

オ．外注取引契約の対象範囲には、雇用契約が含まれる。

解答●p.213

問題
28

H28前

外注取引契約に関する記述として不適切なものは、次のうちどれか。

ア．取引契約は、公序良俗に反しない限り有効ではあるが、独占禁止法、下請法、下請振興法等に違反しないように、取引の適正化を図る必要がある。

イ．取引契約においては、両者が相応の取引条件で合意し、そのうえで、書面による契約書を作成するのがよい。

ウ．取引にあたっては、基本契約と個別契約を結ばなければならないという義務づけはないが、トラブルを防止する上でも締結することが望ましい。

エ．取引の対象範囲は、売買契約及び製作物供給契約の2つに大別される。

オ．発注元は、発注先に対し同一内容の注文書と注文請書とを同時に作成・

送付するが、実務上は、みなし規定を適用し、注文請書を省略することが多い。

解答 ● p.213

G●運搬・物流管理　＞　1●物流管理

1●物流管理の意義

テキスト第2章第1節

問題 29

H27後

回収物流に該当しないものは、次のうちどれか。

ア．工場から外注先へ部品を支給して製造委託する場合、完成品を外注先か
　ら工場へ戻す輸送

イ．容器（パレット、コンテナ等の輸送用資材を含む）を再利用するための
　出荷先からの輸送

ウ．製品の不適合による出荷先からの返品

エ．製品、容器、梱包廃材、使用済製品を廃棄するための輸送

オ．容器、梱包廃材、使用済製品を新たな原材料として再資源化するための
　輸送

解答● p.215

2● 現代の物流問題

問題 **30**

以下の＜事例＞を読み、＜問＞に答えなさい。

ただし、VMIはVendor Managed Inventory である。

＜事例＞

　A工場は電子機器の組立を見込生産方式で行っている。使用する部品はすべて他社から購入している。製品の種類が多いことから購入する部品の種類及び購入先業者が多く、かつ同一部品の1回の購入数量は少量である。A工場では部品の在庫をできる限り少なくするため、1回の発注量も1週間分の使用量以下とすることを基準としてきた。このため部品は最低でも週1回納入する必要があり、納品トラックの積載率が低い場合が多くあった。これまですべての部品は購入先業者がトラックで納品していたが、多くの納品トラックが来ることからA工場周辺では納品待ちトラックによる渋滞が発生し近隣から多くの苦情が寄せられ、A工場としても対策を取らざるを得なくなった。そこで数キロ離れた場所にある物流業者の倉庫を使い、納品代行を委託することにより工場への納品トラックの削減を行うこととした。納品代行を実施した場合、各購入先業者は物流業者の倉庫へ納品し一旦倉庫で保管した後、A工場から倉庫への部品納入指示により、物流業者が指示のあった複数の購入先の部品をまとめてA工場へ輸送することで納品トラックの削減を図るものである。

＜問＞

　A工場が納品代行を実施するにあたり最も優先度が低いものは、次のうちどれか。

ア．倉庫の保管場所確保と受入準備のため、各購入先業者から倉庫への納入
　予定連絡の仕組みの構築

イ．使用量の多い部品を対象とした倉庫でのVMI方式の導入

ウ．納品代行の導入による各購入先業者の輸送費低減と倉庫での保管・荷役費増加の試算、及びこれによる各購入先業者から倉庫への最適輸送量の検討

エ．A工場の生産管理部門と倉庫との間の部品の納入指示のための情報システムの構築

オ．A工場から各購入先業者への部品調達計画提示の仕組みの構築

「エネルギーの使用の合理化等に関する法律」（省エネ法）の輸送分野に関する記述として不適切なものは、次のうちどれか。

ア．省エネ法では、保有する輸送能力が一定規模以上の輸送事業者を「特定輸送事業者」と呼ぶ。

イ．省エネ法では、保有する輸送能力が一定規模以上の輸送事業者には、省エネについての中長期の計画策定と結果報告が義務づけられている。

ウ．省エネ法の適用対象は、貨物輸送事業者と旅客輸送事業者の2者である。

エ．省エネ法では、取り組みが不十分な事業者に対しては、勧告、公表、命令などが行われることがある。

オ．省エネ法の適用対象となる輸送事業者は、貨物又は旅客の輸送を業として、エネルギーを使用して事業を行う者である。

解答 p.216

3●SCMと物流
テキスト第2章第1節

H28前

VMI（Vendor Managed Inventory）の特徴についての記述として最も不適切なものは、次のうちどれか。

ア．セットメーカーから部品メーカーへの日々の発注処理がない。

イ．調達物流と位置づけることができる。

ウ．セットメーカーでは、一定期間ごとに、製品組立てに使用した数量分についてのみ、部品メーカーに代金を支払う。

エ．セットメーカーでは、部品メーカーに生産計画を提示し、部品の補充計画を立案させる。

オ．大ロット生産のセットメーカーに適している。

解答● p.218

H29後

製造会社においてSCMを構築するために必要な条件として最も優先度が低いと考えられるものは、次のうちどれか。

なお、SCMは、Supply Chain Managementである。

ア．個々の商品の売行き情報が得られること。

イ．個々の商品の売行き情報に基づいて必要時に必要量を生産できること。

ウ．生産量・生産時期に応じて材料・部品を調達できること。

エ．商品を販売先の近隣に在庫し、販売先からのオーダに対し極小の時間で納入できること。

オ．販売先、調達先との間の情報のやりとりを円滑に行う情報システムを有すること。

解答● p.218

G●運搬・物流管理 ＞ 2●物流サービス

1●物流サービスの考え方
テキスト第2章第2節

問題
34

H28後

商品の保管と輸配送を物流会社に委託する場合、物流会社に求める物流サービスとして、最も重要度が低いものは、次のうちどれか。

ア．納品時間指定の遵守率

イ．倉庫における入出庫の作業効率

ウ．出荷指示から出荷先に届くまでのリードタイム

エ．貨物追跡情報の提供

オ．保管している貨物の品質維持

解答●p.220

2●物流サービスの対策

納品代行に関する記述として不適切なものは、次のうちどれか。

ア．納品代行事業者では、トランスファーセンターを設けて、納品元と納品先とをつなぐ場合が多い。

イ．納品代行のメリットは、個々の納品業者が納入する場合と比べ、納品する荷物をまとめることにより、輸送費が削減できることである。

ウ．納品代行事業者では、納品元及び納品先との間の円滑な情報のやりとりをするための仕組みの構築が必要である。

エ．納品代行事業者では、一般的に納品元からの商品の買取り、納品先への販売といった商品の売買には関わらず、納品業務だけを請け負う場合が多い。

オ．納品代行事業者では、トランスファーセンターと配送用車両とを、自社で保有することが必要である。

解答●p.221

G●運搬・物流管理 ＞ 3●物流拠点

1●物流拠点の種類

問題 36

H28後

クロスドッキングを行う物流拠点に関する説明として最も不適切なものは、次のうちどれか。

ア．クロスドッキング拠点は、プロセスセンターと呼ばれる。

イ．短時間で配送先の仕分けを行う必要があることから、クロスドッキング拠点では、自動仕分け機を導入する場合が多い。

ウ．宅配業者の物流拠点は、クロスドッキング拠点の代表例である。

エ．クロスドッキング拠点では、入荷した貨物の出荷先別仕分の管理に重点が置かれている。

オ．クロスドッキング拠点では、入庫情報・出庫情報の情報処理システムが必須である。

解答●p.222

問題 37

H29後

物流拠点としてトランスファーセンターを設置するにあたって考慮すべき要件のうち不適切なものは、次のうちどれか。

ア．トラックへの積込み、トラックからの積卸し場所は十分な数を設置する。

イ．トラックへの積込みが完了したかどうかを把握できる積込検品システムを導入する。

ウ．貨物の滞留状況を管理し、死蔵在庫・眠り在庫に対しアラームを発するシステムを導入する。

エ．入出荷するトラックの積込み・積下ろしの時間管理と接車バース管理を行うシステムを導入する。

オ．出荷する貨物を出荷先別に仕分ける仕分機を導入する。

解答 ●p.222

G●運搬・物流管理 ＞ 3●物流拠点

2●複合ターミナルと物流拠点　テキスト第2章第3節

以下に示す＜想定条件＞を踏まえた場合、A社のコスト面を重視した物流体制の方向づけに関する記述として最も適切なものは、次のうちどれか。

＜想定条件＞
①A社は、工場・事務所・店舗等向けの小型の業務用電気器具の製造・販売を行っている。
②販売は、A社が最終顧客である工場・事務所・店舗等に対して直接行っている。
③製品は多品種であるが、仕様は決まっており、自社のカタログに掲載している。
④顧客はカタログを基に、A社に注文する。
⑤製品製造に必要な部品・材料は、予測によりあらかじめ在庫しており、顧客からの注文に基づき製造・出荷する。製品輸送はすべて外部の輸送業者へ委託する。
⑥顧客は全国に数多く広がっており、平均して1日に大型トラック20台分に相当する出荷がある。
⑦個々の顧客からの注文量はさほど多くなく、平均して1顧客当たり軽トラック1台分程度の量である。
⑧A社の業績は好調で、今後、販売量が高い伸長率で推移することが見込まれる。

ア．各顧客からの注文量がさほど多くないことから、製品輸送はすべて宅配業者へ委託する。
イ．各顧客へ工場から軽トラックで直接出荷する。
ウ．大型トラックにより全国の主要地域ごとの積替え拠点へ輸送し、そこで小型又は軽トラックへ積み替え、当該地域内の顧客へ配送する。

エ．全国の主要地域ごとに在庫拠点を設け、販売予測に基づき製品を在庫し、注文に応じ、小型又は軽トラックにより当該地域内の顧客へ配送する。

オ．工場から出荷方面別に大型トラックで輸送し、当該方面内の各顧客へ巡回配送する。

解答 p.224

以下の＜事例＞における物流拠点の機能を示すものとして適切なものは、次のうちどれか。なお、DCはディストリビューションセンター、TCはトランスファーセンター、PCはプロセスセンターである。

＜事例＞
ある物流拠点では、個人向けパソコンを保管している。この拠点では、家電量販店向けのカタログ製品の保管・出荷とともに、通信販売向けとしてカタログ製品をベースにメモリー増設、大容量ハードディスクへの換装などを行い、出荷するカスタマイズ対応も行っている。

ア．DC
イ．DC＋PC
ウ．DC＋TC
エ．TC＋PC
オ．DC＋TC＋PC

解答 p.224

G●運搬・物流管理 ＞ 4●物流効率

1●物流標準化
テキスト第2章第4節

以下の＜事例＞の倉庫における合理化への取り組みに関する記述として最も不適切なものは、次のうちどれか。

＜事例＞

ある倉庫では小型の電子部品を多品種保管し、多数の出荷先に出荷している。個々の出荷先への納入は頻度が高く、かつ多品種・少量納入である。また、出荷指示を受けてから納入までのリードタイムは短い。

ア．保管効率を高めるため、高さが高く棚段数の多い保管用ラックを導入する。

イ．多数の出荷先に出荷する部品は、出荷総数をピッキングし、自動仕分け装置を使い各出荷先別に仕分ける。

ウ．ピッキングミスの防止と保管場所探しの効率向上のため、デジタルピックシステムを導入する。

エ．出荷先を地域別に分け、地域別に出庫時間を設定してピッキングし、トラックへ積み込み、配送を行う。

オ．小型部品の保管に適した自動倉庫を導入し、荷役作業効率を向上させる。

解答●p.226

2●物流効率の管理指標

問題 **41**

H29後

運行効率に関する記述として不適切なものは、次のうちどれか。

ア．運行効率は、稼働率×実車率×積載率で表される。

イ．稼働率は、実働延日車÷実在延日車×100（％）で求められる。

ウ．実車率は、走行キロ÷実車キロ×100（％）で求められる。

エ．積載率は、実積載量÷積載可能量×100（％）で求められる。

オ．積載率は、荷物と車両の関係を表しており、満載の状態に対する実際の
　　積み荷重量の割合を示す。

解答●p.227

問題 **42**

H28後

倉庫の効率に関する記述として最も不適切なものは、次のうちどれか。

ア．倉庫の入出庫効率は、「一定時間当たりの入出庫貨物の総体積（㎥）÷
　　荷役人員数（人)」で求められる。

イ．倉庫の最大保管量を検討する際には、対象となる貨物の保管量の変動を
　　考慮する必要があるが、保管できなくなるリスクを排除することが重要な
　　貨物の場合は、予想される最大保管量を基に保管エリアを設定する必要が
　　あり、保管量が少ない時期に保管効率が低くなることはやむを得ない。

ウ．保守用部品のように、入出庫の頻度が少なく長期間の保管が必要なもの
　　は、入出庫効率よりも保管効率を優先する必要がある。

エ．倉庫の保管効率は、「保管貨物の総体積（㎥）÷倉庫面積（㎡)」で求め
　　られる。

オ．倉庫の入出庫効率を高めるためには、フリーロケーション方式を採用す

るаことが必要である。

解答 ● p.227

G●運搬・物流管理　＞　4●物流効率

3●物流コストへの影響要因

テキスト第2章第4節

問題 **43**

一貫パレチゼーションによる効果に関する記述として不適切なものは、次のうちどれか。

ア．包装や梱包を簡略化でき、また荷役時の破損・汚損・紛失などの損害が少なくなる。

イ．積荷が多種多様な荷姿の場合、トラックの積載効率が向上する。

ウ．荷役の労力を節減でき省力化になる。

エ．荷役時間が短縮され、トラックや貨車の稼働率が高まる。

オ．フォークリフトの利用により荷役・保管作業を標準化できる。

解答●p.229

2●配送・運搬・物流管理情報の伝達　　テキスト第2章第5節

問題
44

H29前

ある倉庫で保管している商品の荷主からの出荷指示受付からトラックへの積み込み完了までの以下の作業の流れにおいて、（　　）に入る用語の組合せとして最も適切なものは、次のうちどれか。

荷主からの出荷指示受付　⇒（　A　）⇒　ピッキングリスト出票
⇒　出庫指示　⇒（　B　）⇒　荷揃・検品　⇒（　C　）⇒　検品・トラック積込

ア．A：輸送車両手配　　　B：仕分け　　　　　C：梱包
イ．A：荷役要員手配　　　B：梱包　　　　　　C：積込場所へ運搬
ウ．A：荷役要員手配　　　B：仕分け　　　　　C：積込場所へ運搬
エ．A：輸送車両手配　　　B：荷役要員手配　　C：梱包
オ．A：輸送車両手配　　　B：ピッキング　　　C：積込場所へ運搬

解答●p.230

3●配送・運搬・物流管理の電子化　テキスト第2章第5節

近年、流通管理や物品管理においてRFIDの活用が広がっている。RFタグの特徴に関する記述として不適切なものは、次のうちどれか。なお、RFIDは、Radio Frequency Identificationである。

ア．IC（集積回路）の入った無線機器である。

イ．バーコードに比べコストが高い。

ウ．一度に多くのタグを読むことができる。

エ．通信可能な距離内のセンサーから直接見える範囲でないと、読み取ることができない。

オ．書き込みが可能である。

解答●p.231

商品などにバーコードとして表示されているJANコードに関する記述として不適切なものは、次のうちどれか。

ア．日本における共通商品コードとして、流通情報システムの重要な基盤となっている。

イ．JANコードの表示には、バーコードだけでなく、二次元コードも使用されている。

ウ．POSシステムをはじめとし、受発注システム、棚卸管理、在庫管理などに広く利用されている。

エ．13桁の標準タイプと8桁の短縮タイプとに大別される。

オ．2桁の日本の国コードから始まる。

解答●p.231

下図は物流EDIにおける運送業務のEDI業務モデルを示している。（　　）に入る情報の組合せとして適切なものは、次のうちどれか。なお、EDIは、Electronic Data Interchangeである。

運送業務のEDI業務モデル

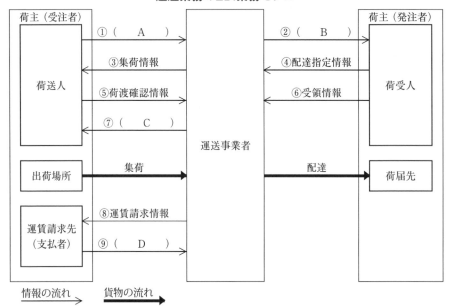

ア．A：運送依頼情報　　B：着荷予定情報　　C：運送完了報告情報
　　D：運賃支払情報

イ．A：運送状況情報　　B：着荷予定情報　　C：運送完了報告情報
　　D：倉庫料金支払情報

ウ．A：運送依頼情報　　B：在庫報告情報　　C：着荷予定情報
　　D：運賃支払情報

エ．A：運送依頼情報　　B：運送完了報告情報　C：着荷予定情報
　　D：倉庫料金支払情報

オ．A：運送依頼情報　　　B：在庫報告情報　　　C：運送完了報告情報
　　D：運賃支払情報

解答●p.232

1●交通災害・大気汚染　テキスト第2章第6節

物流を担う貨物自動車の運行管理者の業務に関する記述として最も不適切なものは、次のうちどれか。

ア．基準に従い乗務員の勤務時間及び乗務時間の乗務割を作成し、過労運転を防止する。

イ．帰り荷の確保など貨物の積載率向上のため、乗務員に指導及び監督を行う。

ウ．乗務員の健康状態を把握し、疾病、疲労、飲酒などにより安全な運転ができない恐れのある乗務員は乗務させない。

エ．乗務前の運転者との対面による点呼で、健康状態や車両の日常点検結果の報告を受け、必要な判断・指示を行う。

オ．貨物の車両への積載においては、偏荷重・走行中の荷崩れ防止について指導及び監督を行う。

解答●p.234

物流による環境問題において、企業が推進すべき事項に関する記述として最も不適切なものは、次のうちどれか。なお、JITは、Just In Timeである。

ア．過度のJIT納入の抑制

イ．市街地への流入規制

ウ．モーダルシフトの推進

エ．共同輸配送の推進

オ．環境対応車の活用

解答●p.235

2●迷惑施設・廃棄物　テキスト第2章第6節

問題 **50**

廃棄物に関する記述として不適切なものは、次のうちどれか。

ア．産業廃棄物は、建設工事や工場での製品製造などの事業活動に伴って生じる廃棄物である。

イ．産業廃棄物を排出する事業者は、原則として排出した産業廃棄物を自らの責任で処理しなければならないが、自ら処理できない場合は、産業廃棄物処理業の許可を持っている業者に委託することができる。

ウ．物流事業者が廃棄するものの1つに木製パレットがあるが、木製であるため焼却しても有毒物質が発生しないことから、一般廃棄物に分類される。

エ．産業廃棄物の収集運搬を行う場合は、産業廃棄物収集運搬業の許可を受ける必要がある。

オ．産業廃棄物の排出事業者は、委託先の産業廃棄物処理業者により適正に運搬、処分されたかの行程を産業廃棄物管理票で確認することが義務づけられている。

解答●p.236

生産管理オペレーション **2級**

● 購買・物流・在庫管理

ビジネス・キャリア®検定試験
解答・解説編

2●資材管理の業務　　　　　　　　　　　　　テキスト第1章第1節

問題 1 解答　　　　　　　　　　　　　　　　　　　　H29後

正　解　イ

ポイント　資材管理組織の形態についての理解を問う。

解　説

①③⑤は横割式組織の説明。

②④は、縦割式組織の説明。

したがって、イが正解。

問題 2 解答　　　　　　　　　　　　　　　　　　　　H29前

正　解　ウ

ポイント　資材管理業務の基礎的な事項についての理解を問う。

解　説

ア．不適切。資材管理業務の組織としては、集中型組織と分散型組織がある。

イ．不適切。横割式組織では、適材配置と技能の専門化が図れる長所がある。

ウ．適切。縦割式組織は、横割式組織の欠点を補うものとして採用されることが多い。長所としては、製品ごとに一貫した管理が容易になり事務処理が迅速化すること、責任が明確になり業務の評価が容易になることが挙げられる。

エ．不適切。共通的な材料や常備材料の多い場合は、購買部門が資材管理機能を担当する。

オ．不適切。資材計画、購買・保管の実施及び統制の機能は分離し、別の部署で担当する。

F●資材・在庫管理 ＞ 2●購買管理

1●購買方針と購買計画　　　テキスト第1章第2節

 問題 **3** 解答　　　H28後

正　解　ウ

ポイント　購買についての基礎知識を問う。

解　説

ア．不適切。内外製区分の判定基準は、品質確保と価格の採算性と納期の確保に重点を置いて検討する。

イ．不適切。一般的に客先から短納期や緊急を要請される品目は内製すべきである。

ウ．適切。一般的に、自社の製造原価より外製のほうが安価である場合は、外製したほうがよい。

エ．不適切。製造において、当該企業が独自に持つ技術や設備が必要な品目は外製化が困難であり、内製化すべき品目である。

オ．不適切。取引先の決定にあたり、複数社発注方式ではリスクが少なくなる長所がある。

F●資材・在庫管理　＞　2●購買管理

2●購買方式

テキスト第1章第2節

 問題 4 解答

H28前

正解　エ

ポイント　購買方式の基礎的な事項についての理解を問う。

解説

ア．不適切。随意契約方式では、担当者が交渉後に随意に決めて購入する。

イ．不適切。当用買い方式とは、必要に応じてその都度購入する方式である。

ウ．不適切。系列購買方式では、取引は安定するが、価格面で割高になることが多い。

エ．適切。競争入札方式には、一般公開入札方式と指名入札方式があり、公平で低価格で購入できる反面、品質やサービスの低下、不正や談合の危険性などに注意を必要とする。

オ．不適切。特命購買方式は、購買先を1社だけに限定して購買する方式である。

 問題 5 解答

H27後

正解　イ

ポイント　企業で多く採用されている購買方式の意味と適用品目についての理解を問う。

解説

ア．不適切。A：4：bが適切。

イ．適切。B：3：eが正解。

ウ．不適切。C：5：aが適切。

エ．不適切。D：1：cが適切。

オ．不適切。E：2：dが適切。

問題 **6** 解答

| 正　解 | オ |

| ポイント | 購買方式の内容についての理解を問う。 |

解　説

ア．適切。毎月継続するような標準品や自社の標準規格品を、購買先から自社の倉庫に預かり、使用すると同時に、買い付けをしたことにする購買方式で、使用高方式又はコック倉庫方式ともいわれる。

イ．適切。購買先と一定期間の購入単価をあらかじめ決めておき、ある期間継続して購買することを保証する方式である。

ウ．適切。事前に品種別に単価を契約しておき、電話で注文して即納させる方式である。最近では、一般部品のほか自社規格の常備品まで適用されている。

エ．適切。自動販売機に工具類、ボルト、ナット、消耗品などを入れておき、必要に応じてチケットで購入するという方式で、預託方式の一種である。

オ．不適切。資本系列や銀行系列にある購買先から購買する方式である。取引は安定するが、価格面で割高になることが多い。

F●資材・在庫管理 ＞ 2●購買管理

3●購買の調査・分析

テキスト第1章第2節

問題 **7** 解答

H28後

正 解 ウ

ポイント 購入価格の分析方法についての理解を問う。

解 説

ア．適切。比較法を採用するには、品目別の過去の購買価格表（取引月日、購買先、仕様、数量、単価などを記入）と過去に購入した部品（値札を記入）を保管しておかねばならない。これにより原価情報のほか、価格のバラツキやアンバランスな状況なども知ることができる。

イ．適切。材料費比較法は、対象品目別に材料費と価格との比率一覧表を作成し検討すべき品目の重量を測定することにより、材料価格さらには総価格をも算出することができ、その価格から購買価格の査定をすることができる。

ウ．不適切。予算方式では、まず売価が決められており、売価から目標利益を差し引いた残りを許容原価としている。

エ．適切。前値価格との比較法は、最も簡便であるため、同仕様で継続しているあらゆる購入品に適用されている方法である。

オ．適切。コストテーブルは、購入単価を決める見積価格表あるいは単価表ということができる。利用目的や対象範囲により数多くの種類があり、コストの査定や見積もりに利用するほか、最近では経営面における価格上の意思決定のための手段としても活用されつつある。

1●外注利用の目的　　　　　　　　　テキスト第1章第3節

問題 8 解答　　　　　　　　　　　　　　　　　　H29前

ポイント　外注管理についての基礎知識を問う。

正　解　エ

解　説

ア．適切。発注企業より賃率や経費率が低く、コストが安いことが多いため。

イ．適切。自工場の生産能力の不足を外注によって補い、需要変動に対応するため。

ウ．適切。発注企業にないような専門技術や特殊機械設備を補うため。

エ．不適切。資本不足の補充目的ではなく、一般的に大規模企業では、原価の引き下げ、生産能力の調整あるいは関連企業の育成を外注利用の重点とすることが多い。

オ．適切。関連企業の充実を図り、協力体制を確立して、外注企業とwin－winの関係を構築することが大切である。

２●外注品の品目形態
テキスト第1章第3節

問題 9 解答
H29前

正解　ア

ポイント　今後の外注利用のあり方についての理解を問う。

解説

ア．不適切。外注先に発注者が材料を支給する場合、特殊な場合を除き、有償支給方式を採用しているのが一般的である。両者にとって、有償支給方式のほうが有利だからである。

イ．適切。多くの工場では、ユニット発注方式が一般的となりつつあり、時として完全外注方式（最終製品まで委託し、客先まで直送）まで採用している。

ウ．適切。外注先に対し、技術や管理指導を積極的に実施して外注工場は自工場の延長工程という考え方でいくことが望ましい。

エ．適切。自社工場内に外注先から人員や機械設備まで準備し、自社のラインに入って作業するため、労務面、品質面、改善面等の問題も発生するので、事前の対応は必要である。

オ．適切。海外調達している多くの企業が苦労しているが、特に品質管理の対応に管理強化する必要がある。

●参考文献
・山崎榮、武岡一成「運営管理－生産管理」評言社　2001

F●資材・在庫管理 ＞ 3●外注管理

3●外注先の選定と外注価格　　　テキスト第1章第3節

問題 **10** 解答　　　　　　　　　　　　　　　H27前

正　解　　エ

ポイント　外注価格の設定についての理解を問う。

解　説

ア．不適切。協議方式とは、重要度の高い外注品の価格決定方式として最も多く採用されている。

イ．不適切。随意契約方式では、発注者の意思で数社と価格面で交渉した後に随意に外注先を決める。

ウ．不適切。見積合わせ方式は、指定した数社の外注先から価格見積もりをとり、最も安い価格の外注先に決める。

エ．適切。実費計算方式は、外注先が発注品の製作にかかった材料、工数（作業時間）、経費を集計して実績原価を算出するため、外注先としても原価率や利益が保障される。したがって、適用にあたっては、正確な実績記録がなされるよう実施状況と実績資料の調査・検討、原価計算方式と原価率の協定、適用品目の明確化、両者の信頼関係を図るなどの注意を要する。

オ．不適切。特命契約方式は、外注先を1社だけに限定して指名する方式である。

4●外注先への発注方式

問題
11 解答

正　解　エ

ポイント　外注先への発注方式についての理解を問う。

解　説

ア．適切。単工程外注方式は、切削加工、メッキ、塗装、熱処理のように単一工程の加工のみを発注する方式で、ピストン式外注ともいわれている。

イ．適切。ユニット外注方式は、外注先に部品の組立（ユニット）に必要とする部品のすべてを調達させ、組立から調整、検査までを依頼し、装置あるいは完成品の状態で納品させる方式で、受入検査も省略されることが多い。

ウ．適切。社内外注方式は、出張外注ともいわれ、自社工場内に出張させ建物や機械・設備を貸与して加工を依頼する方式で、一般的にはバフ研磨作業や塗装などの特殊作業に適用されることが多い。

エ．不適切。完全外注方式ではなく、社内外注方式が出張外注方式といわれている。

オ．適切。一貫外注方式は、部品の全加工（例えば、切削加工から熱処理まで）を特定の外注先に一括して発注し、完成した部品として納品させる方式である。

5●外注先の管理・指導

テキスト第1章第3節

問題 12 解答

H28後

正　解　ア

ポイント　外注工場に対する管理・指導についての理解を問う。

解　説

ア．不適切。外注工場に対する実態調査は、一定の調査表により定期的に行う必要がある。

イ．適切。格付けランク別に、次回からの発注量を増減したり、必要に応じて指導あるいは取引停止をしたりする、発注量リンク制度がある。

ウ．適切。ほかに格付けランク別に、現金と手形の支払率に格差を持たせる支払いリンク制度もあるが、運用面で企業の差別化などの問題が起こる恐れがあるので注意を要する。

エ．適切。発注企業の指定した納期どおりに適合品を納入した外注先に対してはボーナス（賞金）を与え、逆の場合はペナルティ（罰金）を科す、という制度である。

オ．適切。採用にあたっては、評点基準、納期の決定方法、発注品の加工難易度と発注先の選定など、運用方法に十分な配慮を必要とする。

F●資材・在庫管理 ＞ 3●外注管理

6●外注の品質管理

テキスト第1章第3節

問題 **13** 解答

H28前

正　解　ウ

ポイント　外注工場（下請け企業）における品質管理活動についての理解を問う。

解　説

ア．適切。まずは現状における工程能力を把握し、品質向上のために必要な処置をとることが重要である。

イ．適切。発注メーカーと協力し、品質情報が円滑・迅速・的確に行える体制を取るとともに、その責任者と担当者を決めることは重要である。

ウ．不適切。要求品質展開表ではなく、品質保証体系図などを作成し、社内へ周知徹底することが重要である。

エ．適切。品質の向上や品質の均一化を進めるためには、製造工程の充実・強化が重要である。

オ．適切。A社は機械設備を用いて精密機械部品を製造しており、広く設備管理すること、全員参加の設備管理（TPM）の考えを導入し、常に機械設備の能力を100％引き出すことが重要である。

F●資材・在庫管理　＞　4●在庫管理

 在庫の機能と種類　　　　　　　　　　テキスト第1章第4節

問題
14 解答　　　　　　　　　　　　　　

正　解　　ウ

ポイント　　在庫及び在庫管理の基礎的な事項についての理解を問う。

解　説

ア．不適切。定量発注方式は、発注点方式ともいわれ、発注時期は在庫量が
　発注点に達したときであるため、不定期である。

イ．不適切。現在活発に流動して使用されている在庫品といえども、適切で
　必要最小限の在庫を設定し、在庫管理することが必要である。

ウ．適切。一定期間の在庫関連費用を最小にする1回当たりの発注量を経済
　的発注量と呼ぶ。

エ．不適切。定期発注方式は、需要が基本的には独立需要型であるが、特に
　需要の型とは関連しない。

オ．不適切。MRPシステムでは実際の生産が計画どおりに行われていれば
　安全在庫は高い水準を保持する必要はない。

F●資材・在庫管理 ＞ 4●在庫管理

2●発注方式と適用

テキスト第1章第4節

問題
15 解答

H28後

正 解 エ

ポイント 定量発注方式及び他の発注方式との違いについての理解を問う。

解 説

ア．不適切。発注間隔が不定期で発注量が定量であるので、定量発注方式である。

イ．不適切。発注点Pは、$P = Q_0 + D \times L$となる。

ウ．不適切。安全在庫量は、安全係数×需要の標準偏差×$\sqrt{L}$となる。

エ．適切。定量発注方式の特別な場合が、ダブルビン方式となる。

オ．不適切。定量発注方式の適用品目は、購入単価の安い品目である。

F●資材・在庫管理　＞　4●在庫管理

3●経済的発注量
テキスト第1章第4節

 問題 **16** 解答

H29後

正　解　エ

ポイント　経済的購入ロットの考え方についての理解を問う。

解　説

ア．不適切。資金繰りや代金支払い条件も実務上は考慮しなければならない。

イ．不適切。需要量や生産計画の変更がないとして考えている。

ウ．不適切。劣化、陳腐化は考えない。

エ．適切。選択肢にある品目は、定量発注方式（発注点方式）が適用され、EOQの手配数が適用される。

オ．不適切。買い手側の算出したEOQ（経済的購入ロットサイズ）の数量が、納入業者の定める取引数量より大きい場合は問題ないが、小さい場合はコストアップ等の逆効果となる場合がある。具体例で示すと、納入業の取引単位が1,000個以上。EOQの計算単位が500個。このような場合、500個では調達できないので、1,000個調達することになる。

4●流動数分析
テキスト第1章第4節

問題 **17** 解答

H28前

ポイント　流動数分析についての理解を問う。

正　解　ウ

解　説

ア．不適切。継続生産やロット生産など繰り返し生産する工程を対象とする。

イ．不適切。横軸に日付（時間）をとる。

ウ．適切。下図のとおり、受入累積量と払出累積量との差が、仕掛数を示している。

エ．不適切。滞留期間（製造期間又は在庫日数）を示している。

オ．不適切。期首の差が繰越在庫又は繰越仕掛数となる。

流動数曲線図

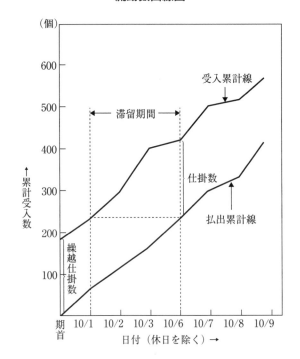

5●生産管理システムと在庫　　　　テキスト第1章第4節

問題 **18** 解答　　　　　　　　　　　　　　　　　　　H28後

正　解　ア

ポイント　生産管理に関わる基本的なシステムについての理解を問う。

解　説

ア．不適切。製番管理方式では、ロットサイズの小さい場合のロット生産で用いられる。

イ．適切。追番管理方式（シリアルナンバーシステム）は、最終製品の累計生産量に等しい一貫番号を製造番号（追番又は号機）としてすべての製品に付けて、追番を用いて進捗管理や現品管理を行う方式である。

ウ．適切。流動管理方式（フローコントロールシステム）は、各工程が基準を確保し、次式で表される当期仕込量に従ってワークを供給して、生産を統制する方式のことである。この方式では、各工程で基準仕掛量が確保されるので、常に一定量の仕掛在庫が存在することになる。

当期仕込量＝当期生産量＋基準仕掛量－前期仕掛量

エ．適切。常備品管理方式（ストックコントロールシステム）は、材料、部品、製品を常備品として常に一定量を在庫して保管しておく、工程管理システムの一方式のことである。この場合、常備品の在庫は、常に一定の消費がある資材であるから、その消費量を満足する量は確保されていなければならない。

オ．適切。部品中心生産管理方式は、生産計画の主体を製品ではなく、部品に置き、部品を受注に応じて適切に組み合わせる生産方式である。

●参考文献

・大野勝久ほか「生産管理システム」朝倉書店　2002

正　解　エ

ポイント　基本となる生産管理方式及び各方式と在庫との関係についての理解を問う。

解　説

ア．適切。製番管理方式（オーダーコントロールシステム）とは、「製造命令書を発行するときに、その製品に関するすべての加工と組立の指示書を準備し、同一の製造番号をそれぞれにつけて管理を行う方式」（JIS Z 8141：2001「3211」）のことである。

イ．適切。流動管理方式（フローコントロールシステム）とは、各工程が基準を確保し、次式で表される当期仕込量に従ってワークを供給して、生産を統制する方式のことである。

ウ．適切。かんばん方式とは、後工程引取方式を実現する際に、かんばんと呼ばれる作業指示票を利用して生産指示、運搬指示をする方式のことである。この場合、「かんばん」は、生産指示をするための「生産指示かんばん」と、運搬指示をするための「引き取りかんばん」の2種類に大別される。

エ．不適切。かんばん方式は、必要な最小量の在庫（製品、仕掛品、資材の在庫）を持つ方式である。

オ．適切。MRPシステム（資材所要量計画＝Material Requirements Planning）とは、「生産計画情報、部品構成表情報及び在庫情報に基づいて、資材の必要量と時期を求める生産管理体系」（JIS Z 8141：2001「2101」）のことである。

1●資材の標準化　　　　テキスト第1章第5節

問題
20 解答　　　　　　　　　　　　　　　　　　　　H28前

正解　エ

ポイント　生産工場における資材標準化の重要性とメリットとデメリット及び適用段階についての理解を問う。

解説

ア．適切。企業規模や業種に関係なく、その利点を考えれば必要とする。

イ．適切。資材標準化の利点であり、ほかにも数多くのメリットがある。

ウ．適切。資材標準化は、利点が多い反面、進めすぎたり、運営方法が不備な場合にはマイナス面も生ずることがある。

エ．不適切。設計段階からVEを適用、併せてJISやISOを利用していく必要もある。

オ．適切。調達や生産段階での資材標準化による利点（効果）は小さく、設計段階から適用すべきである。

３●価値工学（VE）

テキスト第1章第5節

問題 **21** 解答

H26後

正　解　オ

ポイント　価値工学（VE）についての基礎知識を問う。

解　説

ア．適切。もとの価値Ｖに対して、２÷1/2より４倍となる。

イ．適切。もとの価値Ｖに対して、1.5÷１より1.5倍となる。

ウ．適切。もとの価値Ｖに対して、１÷1/3より３倍となる。

エ．適切。もとの価値Ｖに対して、３÷1.5より２倍となる。

オ．不適切。もとの価値Ｖに対して、1.5÷２より3/4倍に価値が低下する。

　価値工学（VE）においては、次の式によって価値の測定尺度（価値指数）としている。

$$価値V(Value) = \frac{機能F(Function)又は品質Q(Quality)}{コストC(Cost)又は価格P(Price)}$$

　上式から、価値を高めるアプローチ方法には次の４つが考えられる。

①同じ機能のものを、さらに安いコストで購入できないか（Fを一定にし、Cを下げる）。

②機能のさらに優れたものを、同じコストで購入できないか（Fを上げて、Cを一定にする）。

③コストを上げ、それ以上に優れた機能を持ったものを購入できないか（Cを少し上げて、Fをもっと大きく上げる）。

④より優れた機能を果たすものを、いまより安いコストで購入できないか（Fを上げて、Cを下げる）。

問題 **22** 解答

正　解　エ

ポイント　VEについての基礎知識を問う。

解　説

ア．適切。VEでは、製品の機能を使用機能（使用価値を与える機能）と魅力（貴重）機能（満足や魅力を与える機能）とに分けて考える。さらに、前者の使用機能を製品から取り除けば、製品本来の存在意義がなくなってしまう基本的な働きをする基本機能（1次機能ともいう）と、この基本機能を果たすための手段として、補助的・従属的に付加される補助機能（2次機能ともいう）とに分けている。

イ．適切。VEを採用することにより、原価引き下げと製品の価値向上を主目的とした効果を期待できるが、ほかに原価意識の向上（設計担当者やバイヤー）や資源対策としても役立つものである。

ウ．適切。VEにおいては、次の式によって価値の測定尺度（価値指数）としている。

$$価値 V(Value) = \frac{機能 F(Function) 又は品質 Q(Quality)}{コスト C(Cost) 又は価格 P(Price)}$$

エ．不適切。購買・生産段階での適用をセカンドルックVEと呼ぶ。

オ．適切。具体的な手順（ジョブプラン）として、次の7段階によって実施されることが一般的である。

1．分析対象の選定
2．機能定義
3．機能評価
4．アイデアの発想
5．アイデアの具体化
6．アイデアの提案
7．実施

1●資材・在庫管理に必要な情報　<small>テキスト第1章第6節</small>

問題 23 解答　<small>H29前</small>

正　解　ウ

ポイント　資材・在庫管理に必要な情報についての基礎知識を問う。

解　説

ア．不適切。③－C　倉庫管理と生産指示は不適。

イ．不適切。①－D　原価管理から内示、注文書は不適。

ウ．適切。①－A、②－C、③－B、④－Dが正解。

エ．不適切。①－D　原価管理から内示、注文書は不適。

オ．不適切。③－D　原価管理と生産指示は不適。

　工場における生産プロセスに従ったモノの流れ（物的システム）に対応して、その生産プロセスを実現するための管理情報の流れ（管理システム）は、下図のような仕組みになっている。管理情報の流れのうち、「生産計画（主に中日程計画）」からアウトプットされる生産情報には、2つの流れがある。第一の流れは、「購買指示の流れ」で、購買指示は購買オーダとも呼ばれ、生産に必要な資材を注文し、準備していく情報の流れである。第二の流れは、「生産指示の流れ」で、製造部門で生産を実施するために小日程計画を作成し、製造活動への生産指示を与えていく情報の流れである。生産指示は生産オーダとも呼ばれる。

工場における生産プロセスに対応した生産情報管理システム

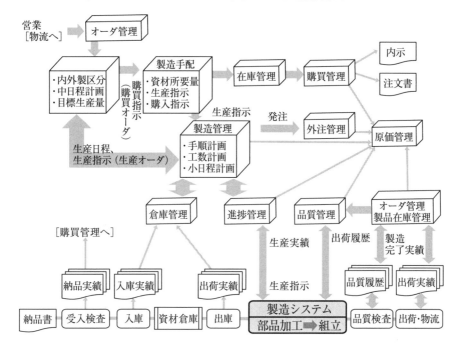

F●資材・在庫管理 ＞ 6●資材・在庫管理と情報システム

3●資材・在庫管理の電子化　　　　テキスト第1章第6節

問題 **24** 解答　　　　　　　　　　　　　　　　H29後

正　解　エ

ポイント　購買方式の基礎的な事項についての理解を問う。

解　説

ア．不適切。バーコード・シンボルとは、白と黒のバーの粗密をコードとして表したものであり、ICチップに埋め込まれている情報ではない。

イ．不適切。RFIDは、バーコード・シンボルより扱える情報量が多く用途が広い。

ウ．不適切。POPでは、現場の生産情報をリアルタイム処理している。

エ．適切。ERPは、販売管理、購買管理、生産管理、在庫管理、財務会計、人事管理などの基幹業務を包括的にカバーする一元化されたデータベースを用いて、企業内の部門間にまたがる基幹業務のデータを整理し、各種の意思決定に役立たせる大規模なソフトウェアパッケージである。

オ．不適切。LANには、光ケーブルに限定されず、無線によるものも存在している。

1● 下請法

問題 25 解答

正　解　ウ

ポイント　下請法（下請代金支払遅延等防止法）の目的、内容、対象、罰則、実態についての理解を問う。

解　説

ア．適切。下請法第1条に、「この法律は、下請代金の支払遅延等を防止することによって、親事業者の下請事業者に対する取引を公正ならしめるとともに、下請事業者の利益を保護し、もって国民経済の健全な発達に寄与することを目的とする。」とされており、適切である。

イ．適切。下請法第2条の2、第3条、第4条の2、第5条に親事業者の義務として、①支払期日を定める義務、②書面の交付義務、③遅延利息の支払義務、④書類の作成・保存義務の4つの義務が課せられている。

　　同様に、第4条第1項、第2項に次の9項目の禁止事項が課せられている。①受領拒否の禁止、②支払遅延の禁止、③減額の禁止、④返品の禁止、⑤買いたたきの禁止、⑥購入強制の禁止、⑦報復措置の禁止、⑧早期決済の禁止、⑨割引困難な手形の交付の禁止。

ウ．不適切。業種を問わず、経済的事業を行うすべてのものが含まれる。適用範囲は、取引の内容（製造委託及び修理委託）と資本金又は出資の総額による取引当事者（親事業者及び下請事業者）の両面から定められており、共に該当する取引に下請法が適用される。したがって、ここで挙げた業種のほか、サービス事業者や鉄道事業者等も含まれる（下請法第2条の1）。

エ．適切。違反した親事業者に対しては、下請法第7条（第1項～第3項）に規定されており、適切である。

オ．適切。下請法違反行為に対する措置がとられる（第10条～第12条（罰則））。

●参考文献
・内木芳郎「資材マンのための下請法解説」日本資材管理協会

問題 26 解答

H28後

正解 イ

ポイント 下請法についての基礎知識を問う。

解説

ア．適切。下請法は、1956（昭和31）年に「私的独占の禁止及び公正取引の確保に関する法律」（独占禁止法）の特別法として制定された法律である。

イ．不適切。下請法では親事業者に対して6つではなく4つの義務を課している。

ウ．適切。取引の内容（対象事業）は、物品の製造委託、物品の修理委託、情報成果物作成委託、役務提供委託がある。

エ．適切。下請法では、下請取引の公正化及び下請事業者の利益保護のために、親事業者に対して次の11項目の禁止事項が課せられている。

1．受領拒否の禁止

2．下請代金の支払遅延の禁止

3．下請代金の減額の禁止

4．返品の禁止

5．買いたたきの禁止

6．購入・利用強制の禁止

7．報復措置の禁止

8．有償支給原材料等対価の早期決済の禁止

9．割引困難な手形の交付の禁止

10．不当な経済上の利益の提供要請の禁止

11．不当な給付内容の変更・やり直しの禁止

オ．適切。違反行為に対する勧告は、立入検査による改善措置を具体的に記載した勧告書に従うよう、公正取引委員会によってなされる。

2●外注取引契約 テキスト第1章第7節

問題 **27** 解答

正　解　オ

ポイント　外注取引契約（取引別契約）についての基礎知識を問う。

解　説

ア．適切。外注取引においては、独占禁止法や下請法のほか、下請中小企業振興法などによって取引の適正化を図らねばならないことになっている。

イ．適切。下請法は、親事業者に対し、次の4つの義務を課している。
　1．書面の交付義務
　2．書類の作成・保存義務
　3．下請代金の支払期日を定める義務
　4．遅延利息の支払義務

ウ．適切。個別契約の共通的事項（基準単価や納期、納入ロットなど）を必要とする場合は、別に付帯契約を締結する。

エ．適切。基本契約の条項として、取引上の原則、技術的事項、支給品、納品の輸送方法、納入に関する取扱い、代金の支払い、その他がある。

オ．不適切。売買契約、請負契約及び製作物供給契約の3つに大別される。

問題 **28** 解答 H28前

正　解　エ

ポイント　外注取引契約の概要、特に必要性と契約内容についての理解を問う。

解　説

ア．適切。「契約自由の原則」の下では、有効であるが、取引上の優位な立場を利用して、外注先が不利にならないように関係法律を踏まえて取引の適正化を図るべきである。

イ．適切。原則としては、書面契約でも口頭契約でも有効である。しかし、書面契約のほうがトラブル防止や問題発生時の合理的な解決処理が容易となるので書面契約化したほうがよい。

ウ．適切。振興基準でもトラブルを防止する上でも締結するよう指導している。振興基準とは、経済産業大臣が定めるもので下請中小企業の振興を図るため、下請事業者がどのような努力を行うべきかとともに親事業者がそれに対してどのように協力を行うべきか示したものである。

エ．不適切。外注（下請）取引の対象内容として、請負契約を含めて3つに大別されている。

オ．適切。注文請書は、みなし規定が適用されて省略されていることが多い。

G●運搬・物流管理 ＞ 1●物流管理

1●物流管理の意義

テキスト第2章第1節

問題 **29** 解答

H27後

正　解　ア

ポイント　回収物流の内容についての理解を問う。

解　説

　回収物流とは、使用済製品、不適合品、廃棄物、リサイクル品の輸送を指す。血管の動脈と静脈の関係に例えて静脈物流という場合もある。回収物流は以下の4つに分類することができる。

①返品・返送物流…製品の出荷先からの返品・返送

②リユース物流…容器（パレット、コンテナ等輸送用資材を含む）を再利用するための出荷先からの回収

③リサイクル物流…容器、梱包廃材、使用済製品を新たな原材料として再資源化するための回収

④廃棄物物流…製品、容器、梱包廃材、使用済製品を廃棄するための輸送

ア．不適切。外注工場との間の調達物流の一部である。

イ．適切。上記②の内容。

ウ．適切。上記①の内容。

エ．適切。上記④の内容。

オ．適切。上記③の内容。

2●現代の物流問題

テキスト第2章第1節

問題 30 解答

H28前

正　解　イ

ポイント　納品代行の仕組みと構築にあたっての必要事項についての理解を問う。

解　説

ア．優先度「高」。倉庫では多くの部品を扱い、個々の部品の保管量の変動が大きい場合もあるので、保管場所確保と受入荷役要員準備のため、各購入先業者から倉庫への納入予定連絡の仕組みの構築は重要である。

イ．優先度「低」。VMIを導入することにより工場は発注業務がなくなり、業務が簡素化されるメリットはあるが、このケースの場合、まず納品代行の仕組みを確立することを優先して進める必要がある。納品代行を始める時点ではVMIの運用は必須ではないことから、他の事項と比べ相対的に優先度は低い。

ウ．優先度「高」。納品代行を実施することによる費用のトレードオフを試算し、A工場と各購入先業者への影響額把握と、費用負担方法の決定は重要である。またこれによる倉庫への最適な補充頻度・補充量の設定は重要である。

エ．優先度「高」。A工場から倉庫への部品納入指示は、納品代行実施のための必須事項であり、それを担う情報システムの構築は最も重要である。

オ．優先度「高」。納品代行が実施されると各購入先業者は欠品を生じさせず、かつ過剰在庫とならないように倉庫への部品納入（補充）を行わなければならない。そのためにはA工場の先々の部品調達計画の把握が必須である。

問題 31 解答

H29前

正　解　ウ

ポイント　省エネ法の輸送分野についての基礎知識を問う。

解　説

ア．適切。国土交通大臣が、自らの事業活動に伴って、他人又は自らの貨物を輸送している者及び旅客を輸送している者のうち、輸送区分ごとに保有する輸送能力が、一定基準以上（鉄道300両、トラック200台、バス200台、タクシー350台、船舶2万総トン（総船腹量）、航空9,000トン（総最大離陸重量））である者を特定輸送事業者として指定する。

イ．適切。運輸部門においては、貨物輸送事業者・旅客輸送事業者に対してだけでなく、荷主企業に対しても、省エネルギーの具体的施策や削減目標の設定などを義務づけている。さらに一定規模以上の「特定輸送事業者」、「特定荷主」には、中長期の計画策定と結果報告を義務づけている。

ウ．不適切。省エネ法が直接規制する事業分野として、輸送分野においては、輸送事業者（貨物・旅客の輸送を業として行う者）、荷主（自らの貨物を輸送事業者に輸送させる者）である。

エ．適切。エネルギーの使用の合理化の状況が判断基準に照らして著しく不十分であると認められた場合には「勧告」、「公表」、「命令」等が行われることがある。

オ．適切。改正省エネ法では、輸送分野については、輸送事業者及び荷主それぞれについて、一定規模以上の事業者を適用対象としている。対象となる事業者を輸送業者については「特定輸送事業者」、荷主については「特定荷主」と呼ぶ。

●参考文献
・資源エネルギー庁ウェブサイト

解答・解説編

G●運搬・物流管理　＞　1●物流管理

3●SCMと物流

テキスト第2章第1節

 解答

 H28前

正解 オ

ポイント VMIの特徴についての理解を問う。

解説

ア．適切。下記①参照。

イ．適切。下記③参照。

ウ．適切。下記②参照。

エ．適切。下記③参照。

オ．不適切。VMIの適用は大ロット生産に適しているのではなく、多頻度・小ロット生産の場合の部品調達を合理化する仕組みとして利用されている。

　　VMIは多頻度・小ロット生産に適した仕組みであり、同じ部品を頻繁に発注するような場合に導入すると部品発注処理の合理化、在庫管理の合理化等で効果がある。

　通常の製造業者による部品の調達・在庫保管との違いは、

①製造業者による部品の発注行為がない

②一定期間ごとに製品組立に使用した数量分についてのみ部品メーカーに代金を支払う

③部品メーカーに生産計画を提示し部品の補充計画を立案させる

が掲げられる。VMIは調達物流と位置づけることができる。

33 解答

 H29後

正解 エ

ポイント SCM（サプライチェーンマネジメント）の意義、必要条件につ

218

いての理解を問う。

解　説

ア．優先度は高い。

イ．優先度は高い。

ウ．優先度は高い。

エ．優先度は最も低い。リードタイム短縮はSCM構築の重要な目的であるが、商品の在庫拠点を持つことは、納入リードタイムとの関係から決定することであり、必ずしも必要な条件ではない。

オ．優先度は高い。

G●運搬・物流管理 ＞ 2●物流サービス

1●物流サービスの考え方

 解答

正　解　イ

ポイント　物流サービスの内容についての理解を問う。

解　説

ア．重要度は高い。物流サービスの「精度」であり重要である。

イ．最も重要度が低い。入出庫の作業効率は、倉庫管理者にとっては重要な管理指標ではあるが、顧客への物流サービスに直接的影響を与えるものでは無い。

ウ．重要度は高い。物流サービスの「リードタイム」そのものである。

エ．重要度は高い。顧客からの貨物の状況の問い合わせに対するサービスは重要である。

オ．重要度は高い。保管している貨物を破損・変質から守ることは重要である。

2●物流サービスの対策

問題 35 解答

正　解　オ

ポイント　納品代行についての理解を問う。

解　説

ア．適切。納品代行システムは、点在する多くの調達先からの資材を1カ所に集荷・保管し、製造会社の納入指示に合わせて配送する仕組みであり、トランスファーセンターを設ける場合が多い。

イ．適切。例えば、生産計画の変更に対して、個々の納品業者に対して納入変更の指示を必要とせず、納品代行業者への指示だけで済むなど、輸送費の削減が可能である。

ウ．適切。納品代行業者は、その上流である納品元と下流である納品先との情報のやりとりが必要で、そのための仕組みを構築しなければならない。

エ．適切。納品代行業者は商品（材料など）の適切な移動・保管を行うことが一般的であり、商品の売買には関わらない。

オ．不適切。自社拠点、自社車両とするかどうかの判断は、納品代行を行うこととは直接関係はない。

1●物流拠点の種類　テキスト第2章第3節

問題 36 解答　H28後

正　解　ア

ポイント　TC（通過）型センター（トランスファーセンター）で行われるクロスドッキングについての理解を問う。

解　説

ア．不適切。クロスドッキング拠点は、トランスファーセンターと呼ばれる。

イ．適切。入庫、出庫を短時間で処理するため自動仕分け機が広く導入されている。

ウ．適切。保管機能がなく、入庫・仕分・出庫処理が中心である。

エ．適切。クロスドッキング拠点では、入荷した貨物の出荷先別仕分の管理に重点が置かれている。

オ．適切。迅速な入庫・出庫処理を行うためには情報処理システムは必須である。

問題 37 解答　H29後

正　解　ウ

ポイント　トランスファーセンター（TC）設置の要件についての理解を問う。

解　説

ア．適切。TCでは多くのトラックが積込み・積卸しを行うため、十分な数の場所を設置する必要がある。

イ．適切。積込検品はTCの必須の作業である。

ウ．不適切。TCでは入庫時に既に出荷日・出荷先が決まっており、入庫後直ちに出荷先別に仕分けるので貨物の滞留を管理するシステムの導入は必須ではない。

エ．適切。TCのみならず倉庫からの出荷には必須の機能である。

オ．適切。仕分けを効率的に間違いなく行うためには必要な設備である。

2● 複合ターミナルと物流拠点　　　　　テキスト第2章第3節

問題 38 解答　　　　　　　　　　　　H29前

正　解　ウ

ポイント　生産・販売形態に応じた物流体制の構築についての理解を問う。

解　説

　ア、イ、オはコスト面から効率的な輸送方法といえず、今後販売量が伸びればコスト負担が重くなる。

　エは製品の在庫を持って需要に対応する案であるが、現在在庫を持たずに対応しているので、在庫保有のリスクを発生させること、また在庫拠点の維持費用面からベストの案ではない。

　ウが現状から見た対応策として最も適切である。

問題 39 解答　　　　　　　　　　　　H29後

正　解　イ

ポイント　複合ターミナルについての理解を問う。

解　説

　カタログ製品の保管・出荷はDC、カスタマイズはPCにあたるので、この物流拠点はDC＋PCとなる。

　したがって、イが正解。

・DC（在庫）型センター（ディストリビューションセンター）：入庫、保管、出庫を行う一般的な保管機能を中心とした倉庫を指す。
・TC（通過）型センター（トランスファーセンター）：入庫、仕分け、出庫を行い、保管機能をもたない物流拠点を指す。
・PC（流通加工）型センター（プロセスセンター）：流通加工を中心とする

物流拠点である。

G●運搬・物流管理　＞　4●物流効率

 物流標準化

テキスト第2章第4節

問題

40 解答

| 正　解 | ア |

| ポイント | 物流標準化についての理解を問う。 |

解　説

ア．不適切。多品種の電子部品を保管し出荷頻度が高いことから、出庫の作業効率を高めることが重要である。高さが高く棚段数の多い保管用ラックは、保管効率には優れるものの出庫作業の効率向上には適切ではない。

イ．適切。種蒔き方式ピッキングの場合の仕分けにおける自動仕分け装置（ソーター）が代表的なものである。

ウ．適切。デジタルピックシステムとは、ピッキングを誤りなく、最小の移動距離で行うために、作業者にコンピュータよりピッキング指示を行うシステムの1つである。

エ．適切。出荷先別に荷揃えして納品する方法の1つで「出荷先別納品型」と呼ばれる。

オ．適切。入出庫が自動化されたものが「自動倉庫」と呼ばれる。

G●運搬・物流管理 ＞ 4●物流効率

2●物流効率の管理指標 テキスト第2章第4節

問題 **41** 解答 H29後

正　解　ウ

ポイント　運行効率についての理解を問う。

解　説

ア．適切。運行管理では車両別の運行効率データを把握・分析し、効率が悪い場合は、3要素（荷物、乗務員、車両）の組合せのどこに原因があるのかをチェックする。

イ．適切。稼働率は、乗務員と車両の関係を表している。稼働率は、運行可能日数に対して、実際に車が何日間稼働したかの割合を示している。必要最小限の車両の保有、保有車両の日常メンテナンスにより稼働率は向上する。

ウ．不適切。実車率は、実車キロ÷走行キロ×100％で求められる。

エ．適切。積載率は、荷物と車両の関係を表している。

オ．適切。積載率は、満載の状態に対する実際の積み荷トン数の割合を示し、合理的な手法による荷物の積み方によって高まる。

問題 **42** 解答 H28後

正　解　オ

ポイント　物流効率の管理指標の1つである倉庫の保管効率、入出庫効率についての理解を問う。

解　説

ア．適切。入出庫効率を高めるには、入出庫作業・仕分け作業を行いやすいように作業スペースを確保することが考えられる。

イ．適切。定温管理、防塵管理等の保管条件があるものについては、保管しきれない場合の他倉庫活用は困難となる恐れがある。このような場合、倉

庫の最大保管量については考慮が必要である。

ウ．適切。保管効率、入出庫効率をどのような水準にするかは、保管する貨物の特性、入出庫頻度、入出庫リードタイムの関係から決められる。入出庫の頻度が低く、貨物が長期間在庫となる場合には、保管効率を優先した倉庫レイアウト、保管方法を考慮する必要がある。

エ．適切。保管効率を高めようとすれば、貨物を多階層に重ねて保管する、あるいは通路等の保管スペース以外の面積を狭くし、できるだけ保管スペースを多く確保することが考えられる。

オ．不適切。フリーロケーション方式は保管効率を高める点ではメリットがあるが、入出庫効率が高くなるとは限らない。入出庫の頻度、倉庫内の移動距離を考慮してロケーション設定しなければ入出庫の作業効率は上がらない。

3● **物流コストへの影響要因**　　　　　テキスト第2章第4節

問題 **43** 解答　　　　　　　　　　　　　　　　　　　H28前

正　解　　イ

ポイント　　一貫パレチゼーションについての理解を問う。

解　説

ア．適切。下記④参照。

イ．不適切。積荷が多種多様な荷姿の場合、パレットに載せた場合はフォークリフトを使用することから、作業中の荷崩れ防止のためパレタイズする際に積み重ねが行いにくく、パレットへの積み付け量は同一形状の積荷の場合と比べて少なくなる。結果としてトラックの積載効率が低下する。

ウ．適切。下記③参照。

エ．適切。下記②参照。

オ．適切。下記①参照。

　一貫パレチゼーションは、「発地から着地まで一貫して同一のパレットに貨物を積載したまま物流を行うこと」であり、この目的は次のとおりである。

　①フォークリフトの利用で荷役・保管作業を標準化できる。

　②荷役時間を短縮し、トラックや貨車の稼働率を高める。

　③労力を節約し、省力化する。

　④包装や梱包を簡略化し、荷役時における破損・汚損・紛失などの損害を少なくする。

配送・運搬・物流管理情報の伝達　テキスト第2章第5節

問題 **44** 解答　

正　解　オ

ポイント　倉庫内の情報の流れ、作業の流れについての理解を問う。

解　説

荷主からの集荷指示からトラック積み込み完了までの流れは以下となる。

荷主からの出荷指示受付　⇒　A「輸送車両手配」
⇒　ピッキングリスト出票　⇒　出庫指示　⇒　B「ピッキング」
⇒　荷揃・検品　⇒　C「積込場所へ運搬」　⇒　検品・トラック積込

したがって、オが正解。

3●配送・運搬・物流管理の電子化　　テキスト第2章第5節

問題 45 解答
H29後

正　解　エ

ポイント　物流における電子化についての理解を問う。

解　説

ア．適切。従来のRFタグは、複数の電子素子が乗った回路基板で構成されていたが、近年はワンチップのIC（集積回路）で実現できるようになり、IC タグと呼ばれている。一般的にRFID とはICタグ、その中でも特にパッシブタイプのICタグを指すことが多い。

イ．適切。流通過程で大量に使用するためには、タグの価格を低く抑える必要があるが、現在RFタグは、安いものでも1個数十円から100円程度である。

ウ．適切。数十ミリ秒～数百ミリ秒で1つのRFタグを読むことができ、さらに多くのタグが密集して配置されていても、それぞれを見分けることができるため、タグが多少重なっていても、読み取りが可能である。

エ．不適切。RFタグは重なり合ってセンサーから見えない位置にあっても通信可能な距離内であれば読み取ることができる。

オ．適切。バーコードは印刷物なので変更できないが、RFタグは書き込みが可能なものがある。生産工程や流通過程の履歴情報などを書き込むことで、品質管理や進捗管理などへの新たな利用方法が期待されている。

問題 46 解答
H28後

正　解　イ

ポイント　バーコードとして広く利用されているJANコードについての理解を問う。

（解　説）

ア．適切。JANコードのJANとは、Japanese Article Numberの略で、日本における共通商品コードとして流通情報システムの重要な基盤となっている。

イ．不適切。JANコードは、バーコードだけで表示されている。

ウ．適切。JANコードはバーコードとして商品等に表示され、POSシステムをはじめ、受発注システム、棚卸管理、在庫管理等に広く利用され、データ入力作業の軽減と精度向上に大きな効果を上げている。

エ．適切。JANコードは、13桁の標準タイプ、又は8桁の短縮タイプを使用している（下表参照）。

オ．適切。JANコードは、日本では国コードが"49"又は"45"から始まる。

JANコードの形式

	区分	桁数
13桁パターン1	国コード	2
	メーカーコード	5
	商品コード	5
	チェックデジット	1
13桁パターン2	国コード	2
	メーカーコード	7
	商品コード	3
	チェックデジット	1
8桁	国コード	2
	メーカーコード	4
	商品コード	1
	チェックデジット	1

 問題 **47** 解答 H29後

（正　解）　ア

（ポイント）　物流EDIでやり取りされる情報についての理解を問う。

（解　説）

正解は次の図のとおりとなる。この図は代表的なモデルを示しており、荷送人と出荷場所の企業が異なる場合、荷受人と荷届先の企業が異なる場合、

荷送人と運賃請求先が異なる場合などがありうるため、メッセージ設計上は
いずれの場合にも対応できるようになっている。

運送業務のEDI業務モデル

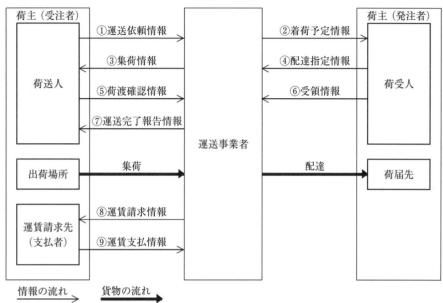

出所：物流EDI推進委員会「物流EDI 標準JTRN（3C版）」

したがって、アが正解。

1●交通災害・大気汚染

テキスト第2章第6節

問題 **48** 解答

H29前

正 解 イ

ポイント 貨物自動車に対する運行管理者の業務についての理解を問う。

解 説

ア．適切。過労運転の防止のためには、次の事項が重要である。

　○運転者の睡眠環境を整える（特に夜間長距離運転者）。

　○適切な運行計画——運転者任せにせず、運行管理者が運転時間、休憩時間、休息期間、運行経路等を管理する。

　○点呼時の運転者の眠気、気力、疲れの確認。

　　これらは、「道路運送法」、「貨物自動車運送事業法」における運行管理者の職務であり、実施の徹底が求められる。

イ．不適切。貨物の確保は営業部門の業務であり、運行管理者が乗務員に貨物の確保の指導や監督を行う必要はない。

ウ．適切。乗務を開始しようとする運転者に対し、対面（運行上やむを得ない場合は電話その他の方法）により点呼を行い、次の事項について報告を求め、確認し、運行の安全の確保に必要な指示を与えることが定められている。

　○酒気帯びの有無

　○疾病、疲労その他の理由に安全な運転をすることができない恐れの有無

　○日常点検の実施又はその確認

エ．適切。上記解説を参考。

オ．適切。過積載による運送の防止について、運転者その他の従業員に対し、偏荷重が生じないように積載すること、貨物が運搬中に荷崩れなどにより自動車から落下することを防止するため、貨物にロープ又はシートをかけることなど必要な装置を講じることが定められている。

●参考文献等

・「貨物自動車運送事業輸送安全規則」第2章第1節第7条。

問題 **49** 解答

| 正 解 | イ |

| ポイント | 物流と環境問題についての理解を問う。 |

（解　説）

ア．適切。納入事業者のトラックが路上で時間待ちをして行列ができると
　　いった状況が発生し、道路混雑や環境悪化の問題となったため、過度の
　　JIT 物流についての抑制が求められている。

イ．不適切。市街地への流入規制は行政が行う対策である。

ウ．適切。トラック輸送から鉄道輸送、海上輸送への利用へと転換する「モー
　　ダルシフト」が推進されている。

エ．適切。複数の物流業者で地区内や建物内の輸送の共同化を行うことが推
　　進されている。

オ．適切。低公害車の積極的な活用が望まれる。

G●運搬・物流管理 ＞ 6●社会と物流

2●迷惑施設・廃棄物
テキスト第2章第6節

問題
50 解答
H29前

正　解　ウ

ポイント　産業廃棄物についての理解を問う。

解　説

ア．適切。産業廃棄物は、ビルの建設工事や工場で製品を生産する等の事業活動に伴って生じた廃棄物で、その種類は廃棄物処理法で燃え殻、汚泥、廃油、廃酸、廃アルカリ、廃プラスチック類などの20種類が指定されている。

イ．適切。排出事業者が産業廃棄物の処理を委託する場合には、委託基準を満たす必要がある（下記オ参照）。

ウ．不適切。木製パレットは、2008年に産業廃棄物に指定された。

エ．適切。許可を受ける場合には、以下の5つの要件をすべて満たす必要がある。

①欠格事由に該当しないこと

②経理的基礎の要件

③産業廃棄物収集運搬業許可申請に関する講習会を修了

④運搬施設の要件

　　産業廃棄物の飛散、流出及び悪臭漏れの恐れのない運搬車両及び運搬容器等の継続的な使用権があること

⑤事業計画の要件

オ．適切。排出事業者が産業廃棄物の処理を委託する場合には、排出事業者は委託先の産業廃棄物処理業者とお互いの役割と責任を明確にした委託契約の締結、契約どおり産業廃棄物が適正に運搬・処分されたかの行程を産業廃棄物管理票（マニフェスト）により確認すること等が義務づけられている。

ビジネス・キャリア®検定試験過去問題集

BUSINESS CAREER

生産管理 ②級
オペレーション

● 共通問題

生産管理オペレーション
● 共通問題

ビジネス・キャリア®検定試験
過去問題編

1●品質の計画

テキスト第1章第1節

問題 1

H28前

品質とコストに関する記述として最も不適切なものは、次のうちどれか。

ア．品質管理において品物又はサービスを経済的に作り出すためには、4 M
　を効率的に管理していくことが重要である。

イ．顧客が要求する「要求品質」を網羅的に満たす品質を設計すると、製造
　コストは上昇することから、ターゲットを絞る必要がある。

ウ．品質管理は、消費者の要求品質に応え、製品を提供するとともに、所期
　の寿命が終わるまでのライフサイクルコストの検討も含まれる。

エ．不特定多数の消費者を対象とした製品の販売価格は製造コストを重視し
　て決定する。

オ．不適合による損失が大きい場合には、管理コストや品質管理費が増加し
　ても不適合品を出さないように工程を設計する必要がある。

解答●p.290

2●品質の作り込み テキスト第1章第1節

問題 **2**

品質管理に関する記述として不適切なものは、次のうちどれか。

ア．品質は生産者が決定するものではなく、使用目的を満たしているかどうかが重要であり、顧客志向の考え方が基本となる。

イ．品質管理の目的は、顧客の要求を満たした品質を設計して、その品質の品物又はサービスを経済的に作り出すことにある。

ウ．要求品質は、技術水準、設備能力、コストなどの社内の事情を最優先して決められる。

エ．適合品質は、生産する製品の実際の品質であり、製品のバラツキを考慮した基準を設定し管理することが重要である。

オ．品質管理は、生産の目的の1つである品質を達成するために、その手段である人・設備・材料・方法などを設計し運用していくことである。

解答●p.291

P●品質管理 ＞ 2●統計的手法

 ●統計的手法

テキスト第1章第2節

問題 **3**

統計的手法に関する記述として不適切なものは、次のうちどれか。

ア．母集団には有限母集団と無限母集団があり、ロットなどの1つの集まり
　は有限母集団と考える。

イ．品質管理のデータは、計数値と計量値の2つに分けられるが、長さ、温
　度、重さなどの値は計量値である。

ウ．標準正規分布とは、平均 $\mu = 0$、標準偏差 $\sigma = 1$ の正規分布である。

エ．製造工程で安定した状態で作り出される製品のキズの数は、一般にポア
　ソン分布に従うといわれている。

オ．ある機械が故障するまでの時間は、一般に正規分布に従うといわれてい
　る。

解答 ●p.292

2●統計的手法と改善

統計的手法と改善活動に関する記述として最も適切なものは、次のうちどれか。

ア．チェックシートは、不適合項目の発生を記録することに適しているが、不適合品が多く発生する時間帯などの傾向を見ることには適していない。

イ．ヒストグラムは、製品の規格との関係を把握することに適しているが、製造工程の異常を見ることには適していない。

ウ．パレート図を効果的に作成するための縦軸には4M（人、機械、材料、方法）を取り、横軸にはQCD（品質、費用、納期）などを取り上げるとよい。

エ．チェックシートで収集したデータに基づいて、不適合品発生の原因を調査し整理するためには特性要因図が適している。

オ．散布図は2変数の関係をおおよそ把握することができるが、異常なデータを捉えることには不向きである。

解答●p.293

P●品質管理　＞　2●統計的手法

3●**仮説検定**　　　　　　　　　　　　テキスト第1章第2節

仮説検定に関する記述として不適切なものは、次のうちどれか。

ア．仮説検定は、対象とする母集団に関して、設定した仮説が正しいかどう
　　かを、サンプルを取って客観的に判定する方法である。

イ．統計的検定の考え方は、帰無仮説を採択するかどうかを判定することで
　　ある。

ウ．検定における帰無仮説とは、比較対象の母数に差がない仮説をいう。

エ．平均値に関する検定では、データが計量値と計数値で同じ検定方式が適
　　応できる。

オ．検定では、有意水準を5％以下又は1％以下に設定することが一般的で
　　ある。

解答●p.294

1●検査の目的と種類

工程検査に関する記述として不適切なものは、次のうちどれか。

ア．工程で不適合が発生しないように作業をしているが、仮に発生しても、後工程で手直しをする工夫をしているので、工程検査で品質を保証することができる。

イ．製品のできばえについては、最終工程まで行って、不適合と分かったのではコスト面で不利となり、生産計画上で問題が起こることから、各工程で検査し、保証するシステムとしている。

ウ．検査では必ずしも全製品が適合品であることを保証することはできないので、品質を工程で作り込むように工夫している。

エ．最終検査に頼っていると、検査があるから大丈夫という品質意識の低下につながりかねないので、自分たちの仕事のできばえについては、自分たちでチェック・判断し、良いものだけを後工程に流すようにしている。

オ．工程で保証すべき特性については、その責任工程において全数を確認し、適合品だけが作られ、流れるような仕組みを組み込んでいる。

解答●p.295

3●検査と異常処理

テキスト第1章第3節

 問題 **7**

 H28後

是正処置と予防処置に関する記述として適切なものは、次のうちどれか。

ア．是正処置のうち、不適合品が発生した場合の応急対策には、「不適合品の流出防止」や「潜在的原因の除去」がある。

イ．是正処置のうち、不適合品が発生した場合の恒久対策には、「クレームの緊急連絡」や「対策の実施と歯止め」がある。

ウ．予防処置とは、潜在的な品質不適合が発生する可能性のある原因をあらかじめ除去することである。

エ．予防処置においては、工程が正常状態か異常状態かを把握する仕組みを作る必要があり、不適合品が発生した段階で速やかに管理状態に是正できるようにすることが重要である。

オ．ISO9001の要求事項には「是正処置」と「予防処置」については触れられていない。

解答●p.296

問題
8

管理図に関する記述として適切なものは、次のうちどれか。

ア．管理図に用いられる統計的な分布は、計数値の場合は正規分布であり、計量値の場合は二項分布である。

イ．管理図では、管理されていない変動でも管理限界内に点があり管理されている変動と誤ってしまうことを第1種の誤りという。

ウ．正規分布に従うデータの場合、平均 μ から $\pm 3 \sigma$ を超える確率は約1.0%である。

エ．品質をばらつかせる工程の変動原因は、管理されている変動と管理されていない変動の2種類に分けられる。

オ．3σ の管理限界線は、個々の特性値から製品の合否を判定することに用いられる。

解答● p.297

3●管理図の作成と見方

テキスト第1章第4節

問題
9

H28後

それぞれ1つのロットで構成される20の群から4個ずつのサンプリングデータを取得したところ、下表が得られた。この表に基づいた$\bar{x}-R$管理図における上方管理限界線（UCL）、下方管理限界線（LCL）の算出方法として適切な数値の組合せは、次のうちどれか。ただし、A_2、D_4は$\bar{x}-R$管理図係数である。

表　群のサンプリングデータ

群No.	測定値				平均値 $\bar{x}_i$	範囲 R
	x_1	x_2	x_3	x_4		
1	53.4	54.0	53.8	53.8	53.70	0.60
2	53.2	52.8	53.2	54.3	53.33	1.50
3	53.4	53.1	54.4	54.5	53.85	1.40
4	54.7	54.2	53.8	52.5	53.80	2.20
17	53.8	53.1	53.8	52.7	53.35	1.10
18	53.5	53.5	53.3	52.8	53.28	0.70
19	53.4	53.2	52.7	52.5	53.95	0.60
20	53.1	53.8	53.6	53.1	53.40	0.70

$\bar{x}_i$の最大値 = 53.95　　$\bar{x}_i$の最小値 = 53.28

$\bar{x}_i$の平均値 = 53.50　　Rの最大値 = 2.20

Rの最小値 = 0.60　　　　Rの平均値 = 1.05

$\bar{x}$管理図　上方管理限界線UCL = （　A　） + A_2（　B　）

$\bar{x}$管理図　下方管理限界線LCL = （　A　） − A_2（　B　）

R管理図　上方管理限界線UCL = （　C　） + D_4（　D　）

ア．A：53.50　　　　B：53.95　　　C：1.05　　　D：1.05

イ．A：53.28　　　　B： 1.05　　　C：空欄　　　D：1.05

ウ．A：53.28　　　　B：53.50　　　C：2.20　　　D：0.60

エ．A：53.50　　　　B： 1.05　　　C：空欄　　　D：1.05

オ．A：53.28　　　　B：53.95　　　C：2.20　　　D：0.60

解答 ● p.298

P●品質管理 ＞ 5●社内標準化

1●社内標準化の意義

テキスト第1章第5節

社内標準化に関する記述として最も適切なものは、次のうちどれか。

ア．社内標準化のデメリットは、設計コストが上昇することである。

イ．社内標準化の目的の1つとして、「安全性の確保」が挙げられる。

ウ．社内標準化は、標準化の推進を担当する部署が、方針を決定していくべきである。

エ．社内標準化で制定される社内規格は、ISOやJISに従う必要はない。

オ．社内標準化の目的の1つとして、規程類を作成し、整備することがある。

解答●p.299

2●社内標準化の進め方 テキスト第1章第5節

社内標準化の目的として最も不適切なものは、次のうちどれか。

ア．品質の安定と向上

イ．業務の効率化

ウ．外注の推進

エ．安全の確保

オ．情報の共有

解答●p.300

1●品質保証の意義と進め方　テキスト第1章第6節

問題 12

H27後

品質保証活動に関する記述として不適切なものは、次のうちどれか。

ア．品質保証活動とは、消費者が要求する品質、すなわち生産活動における品質とサービス活動における品質が充分に満たされていることを保証するために、生産者が行う体系的活動のことである。

イ．ISOに基づく品質保証活動とは、製品やサービスの品質を保証する活動がなされていることを、必要に応じて実証できるようにしておくことである。

ウ．顧客や市場からの情報収集や蓄積された社内技術情報を利用する活動は、品質保証活動にも役立つ。

エ．設計品質で定められた品質を達成するための製造品質を設定し、製造品質を達成するための活動が、開発部門の品質保証活動である。

オ．継続的な供給先に対し、関係部門からQCDSの実績に関わる情報を入手し、供給先を定期的に評価する活動は、購買部門の品質保証活動である。

解答 p.301

2●品質保証とクレーム処理

クレームの原因に対する処置のステップとして不適切なものは、次のうちどれか。

| ア．クレームの内容確認 |
↓
| イ．クレームの原因の特定 |
↓
| ウ．クレームの応急処理の必要性の評価 |
↓
| エ．必要な処置の決定及び実施 |
↓
| オ．とった処置の結果の記録 |

解答●p.302

Q●原価管理 ＞ 1●原価管理の基本的な考え方と手法

3●費目別計算の方法

テキスト第2章第1節

問題 14

H29後

製造原価要素の分類に関する記述として不適切なものは、次のうちどれか。

ア．水道光熱費は、経費に分類される。

イ．雑給は、労務費に分類される。

ウ．修繕料は、材料費に分類される。

エ．旅費交通費は、経費に分類される。

オ．買入部品費は、材料費に分類される。

解答●p.303

5●原価概念と原価計算の整理　　　テキスト第2章第1節

問題 15

H28後

機会原価に関する記述として最も適切なものは、次のうちどれか。

ア．置かれた状況において回収することのできない原価。

イ．操業度に応じて発生する原価。

ウ．いくつかの代替案から1つの選択肢を選んだために、ほかの選択肢を選んだときに得られたであろう利益。

エ．意思決定によって発生がコントロールできない原価。

オ．事業や製品に直接結び付けられる費用。

解答●p.304

2●原価標準と標準原価

テキスト第2章第2節

標準原価及び標準原価計算に関する記述として不適切なものは、次のうちどれか。

ア．標準原価は、科学的・統計的手法に基づいて設定された、具体的な原価数値目標を示すものである。

イ．標準原価の算定において、標準消費量には、通常生ずると認められる程度の減損、仕損等の消費余裕を含めなくてよい。

ウ．標準原価の決定には、生産管理部門だけではなく、製造部門、設計部門等の関係ある部門の協力が欠かせない。

エ．標準原価については、実際原価との差異分析により、問題点を明らかにする。

オ．標準原価計算では、製品1単位当たりの原価標準の合計値に生産数量を乗ずることにより、製造原価を迅速に計算することができる。

解答●p.305

1 ●原価企画の意義 テキスト第2章第3節

H28前

原価企画に関連する記述として不適切なものは、次のうちどれか。

ア．原価企画においてVEとともに品質機能展開も活用できる。

イ．原価企画では、クロスファンクショナルチームによって運営することが
　有益である。

ウ．原価企画では設計のためのコストテーブルだけでなく、購買のためのコ
　ストテーブルも用いる。

エ．原価企画では主として材料費の原価低減を行い、作業方法の見直しは行
　わない。

オ．目標原価設定における統合法では、技術者によって見積もられた成行原
　価と、予定売価と目標利益の差額として算定された許容原価とを擦り合わ
　せて目標原価を設定する。

解答●p.306

Q●原価管理　＞　3●原価企画

3●目標原価

テキスト第2章第3節

目標原価に関する記述として不適切なものは、次のうちどれか。

ア．逆計算法は、製品に使用される材料消費量があらかじめ分かっている場合、完成した製品の数から逆算して原価を算定する方法である。

イ．積上げ法は、自社の技術レベル、生産能力などを勘案して、目標原価を設定する方法である。

ウ．予定売価から目標利益を差し引き算定した原価を許容原価という。

エ．割付法は、市場における競合製品の売価などを参考にして、予定売価を決め、そこから一定利益を確保するために必要となる原価を目標原価とする方法である。

オ．統合法は、許容原価と成行原価の擦り合わせを行い、目標原価を設定する方法である。

解答●p.307

1●損益分岐点、限界利益　　テキスト第2章第6節

 問題19 H29前

製品Ａの売上高を25,000千円、変動費を15,000千円、固定費を6,000千円、目標の営業利益を8,000千円とした場合、さらに増やすべき売上高として正しいものは、次のうちどれか。

ア．　6,000千円
イ．　8,000千円
ウ．10,000千円
エ．15,000千円
オ．35,000千円

解答●p.308

 問題20 H28前

以下に示す＜想定条件＞を踏まえた場合、次年度において、安全余裕率を20％まで高めるときの限界利益率として適切なものは、次のうちどれか。

＜想定条件＞
1．当年度に関する情報は、以下のとおりである。
　（1）販売価格（製品1単位当たり）　　　　800円
　（2）販売数量（年間）　　　　　　　10,000単位
　（3）変動費（製品1単位当たり）
　　　製造原価　　　　　　　　　　　　560円
　　　販　売　費　　　　　　　　　　　 90円
　（4）固定費（年間）
　　　製造原価　　　　　　　　　　394,000円

　　販売費及び一般管理費　　　　950,000円

2．次年度に関する情報は、以下のとおりである。
　（1）販売価格（製品１単位当たり）を750円に引き下げる。
　（2）販売数量（年間）について、10％の増加が見込まれる。
　（3）固定費（年間）について、販売費及び一般管理費が、9,000円増加する
　　　と見込まれる。

ア．16.4％
イ．16.8％
ウ．20.5％
エ．21.0％
オ．22.4％

解答 p.308

H29前

ある企業は販売価格1,000円/個の製品を製造・販売しており、今期の販売数量は4,000個、損益分岐点売上高は1,600,000円である。この場合、安全余裕率として適切なものは、次のうちどれか。

ア．22.4％
イ．35％
ウ．40％
エ．60％
オ．150％

解答 p.309

2●経済性評価　　　　　　　　　　　　テキスト第2章第6節

経済性評価に関する記述として不適切なものは、次のうちどれか。

ア．回収期間法とは、回収期間の短いほうを有利とする評価法のことである。

イ．資本回収係数とは、現在価値を年価へ変換する係数のことである。

ウ．正味現在価値法では、将来見込まれる期待キャッシュフローを、現在の価値に割り引いたうえで、その値を投資金額と比較し、その差額がプラスとなる場合に、投資案を有利と評価する。

エ．投資利益率は、投資額との関係で、投資案がどれだけの収益性を持つかを表す。

オ．内部利益率は、「売上利益率×資本回転率」で算出される。

解答●p.310

Q●原価管理 ＞ 7●原価低減

1●操業度と原価低減

テキスト第2章第7節

問題 **23**

H29後

以下に示す＜前提条件＞を基に、操業度と固定費の関係として最も適切なものは、次のうちどれか。

＜前提条件＞
・製品Xを生産する工場の最大生産能力は9,000個/月である。
・先月の生産数は7,500個であった。今月も製品Xの需要に応じて、生産数は同程度の予定である。
・当社は製品Xしか生産していないものとする。

ア．来月は製品Xの需要が伸びる見込みだとすると、生産数を増加させると製品X1個当たりの固定費は低くなる。

イ．来月は製品Xの需要が伸びる見込みだとすると、生産数を増加させると製品X1個当たりの固定費は高くなる。

ウ．来月は製品Xの需要が伸びる見込みだとしても、生産数を増加させても製品X1個当たりの固定費は変化しない。

エ．来月は製品Xの需要が落ち込む見込みだとすると、生産数を減少させると製品Xの固定費総額は高くなる。

オ．来月は製品Xの需要が落ち込む見込みだとすると、生産数を減少させると製品Xの固定費総額は低くなる。

解答●p.311

3●納期遅延対策

生産計画に基づいて生産を行う際に納期遅延が発生した場合の納期遅延対策に関する記述として不適切なものは、次のうちどれか。

ア．納期管理の中心となる活動は、納期を挽回（ばんかい）することである。納期の挽回策は主に2つあり、1つは生産順番の変更、もう1つは能力の増加である。

イ．生産順序を変更する場合、注文そのものに対して順番を変更する方法と、工程ごとにその工程にある仕掛品に対して順序づけする方法がある。

ウ．ある注文の納期遅れに対する挽回策として、注文そのものの優先度を上げて特急ジョブに指定する方法がある。この対策は納期遅れを挽回する方法としては強力であるので、ほかの注文に対する影響は考慮しなくてもよい。

エ．工程ごとにその工程にある仕掛品の生産順序を変更する方法は、ディスパッチング法といわれ、工程ごとに生産の優先順位の変更計画を行う方法である。

オ．生産処理時間の見積りが難しくて、処理時間のばらつきが多い仕事を扱っている工場では、工程ごとの統制中心の進捗管理が適している。

解答●p.312

最近、売上げが伸びてきており受注が好調であるが、このままの状態で伸びると、慢性的な納期遅れが発生しそうである。この場合の納期遅延対策として最も不適切なものは、次のうちどれか。

ア．作業方法、治工具等の改善により、作業工数を低減し、工数に余裕を持

　たせる。

イ．３直から２直へシフトを変更し、工数に余裕を持たせる。

ウ．準備段取作業の改善等により、工程の負荷に余裕を持たせる。

エ．仕掛品の調整を図り、作業者の能力を充分に発揮できるようにする。

オ．工程の安定化等を行い、不適合品発生の低減に努め、間接的に工程能力
　を高める。

解答 ● p.312

2●**開発・設計期間の短縮**　　　　テキスト第3章第7節

設計時間の短縮の進め方に関する記述として不適切なものは、次のうちどれか。

ア．設計作業は人手に頼ることが多く、人の能力によって設計時間が大きく左右されることから、設計者のスキル向上のための教育を充分に行い、必要なところはコンピュータ支援による設計を能率的にこなせるようにし、設計作業の合理化をさらに進める。

イ．過去に設計した図面と類似している場合であっても、個別の案件ごとに顧客のニーズは異なるので、初期段階から独自に設計を行いながら個別に設計作業効率を高める。

ウ．設計時間の短縮化には、クリティカルパス上にあるタスクの時間短縮を行うことが有効である。

エ．すべての設計が完了してから調達・製造に入るよりも、設計のタスク分割を行い、調達・製造を前倒しで実施できるように、仕事をオーバーラップさせるやり方（コンカレント開発）を行う。

オ．試作までに3D－CAD等を活用したバーチャル検討を行い、問題をできるだけ初期段階で解決していく。

解答●p.314

R●納期管理 ＞ 7●生産期間の短縮と対策

3●調達期間の短縮 テキスト第3章第7節

外注先の納期遅れ対策について注意すべき事項として最も不適切なものは、次のうちどれか。

ア．外注先の生産能力を把握する。

イ．外注先と発注担当者との円滑なコミュニケーションを心掛ける。

ウ．外注先へ内示時期や発注時期を確認する。

エ．外注先へ事前に進捗状況を確認する。

オ．外注先の品質検査工程を強化する。

解答●p.315

製造・調達期間を短縮するための取り組みとして不適切なものは、次のうちどれか。

ア．発注業務を迅速化する。

イ．支給品の早期手配、支給体制の強化などの支給品手配を迅速化する。

ウ．品種や生産量が多い場合は、仕掛品在庫を持つ。

エ．使用資材の仕様を標準化する。

オ．発注計画の効率化を図る。

解答●p.315

4●製造期間の短縮

テキスト第3章第7節

問題
29

H27後

製造部門として取り組むべき製造期間の短縮内容として最も不適切なものは、次のうちどれか。

ア．部品供給者と連携し、部品の一体化等により、組立時間や工程数を減らす設計を行う。

イ．不適合品の発生や手直し検査時間を少なくするため、製造方法の改善に取り組む。

ウ．生産速度を速めるため、製造方法の改善に取り組む。

エ．生産技術部門と連携をとり、製造技術の改善に取り組む。

オ．計画外の仕掛品をできるだけ減らし、全工程が円滑に流れて行くように合理的な生産計画に取り組む。

解答●p.317

問題
30

H29前

製造期間を短縮させる取り組みとして最も効果が少ないものは、次のうちどれか。

ア．作業工程の作業改善や治工具の整備・標準化を進める。

イ．生産品種の切り替えや段取りの効率化を図る。

ウ．現場作業者の協力体制や設備保全体制を整える。

エ．環境対策を充実させる。

オ．受注残及び製品・仕掛品在庫などを適正化する。

解答●p.318

R●納期管理　＞　8●仕掛品の削減

3●仕掛品の増加防止策

テキスト第3章第8節

問題
31

H28前

ある製造部門において納期遅れが発生しているが、その原因の1つとして仕掛品の増大が考えられる。製造部門以外の原因として最も適切なものは、次のうちどれか。

ア．工程が混んでいて、なかなか作業の順番が回ってこないため、作業待ちの仕掛品が多くなる。

イ．不適合品が多く発生し、その不適合品の手直し、検査に時間がかかり、仕掛品が多くなる。

ウ．工程間移動の作業者の欠勤や設備が不足しており、移動待ちの仕掛品が多い。

エ．製造途中での設計変更や仕様変更が多いため、作業の中断が多く、仕掛品が多くなる。

オ．作業の治工具が決められた場所になかったり、治工具の手入れが悪く、使用できなかったりして作業の中断が多くなり、仕掛品が多くなる。

解答●p.319

1●初期管理の重要性　　　　　　テキスト第3章第9節

問題

32

新製品の生産開始において、初期管理の進め方に関する記述として最も不適切なものは、次のうちどれか。

ア．品種切替時に起こる種々の調整ロスを防ぐため、段取り替えの作業標準化を行う。

イ．初期流動時の品質の安定、生産数の確保を行うため、組立治具や検査治具を考案・整備する。

ウ．設備・機械を安定して稼働させるため、初期流動時以降を中心に作業員の監視に基づくトラブル対応により対処する。

エ．人間が含まれる不安定な作業を早期に安定化させるため、ベテランの人材を配置し、作業者への指導と管理を行う。

オ．問題の発生が予想される作業については、あらかじめ問題に対処できる体制を整えておく。

解答●p.320

R●納期管理　＞　11●生産手配と進捗管理

2●進捗管理の意義

テキスト第3章第11節

問題 **33**

進捗管理に関する記述として最も不適切なものは、次のうちどれか。

ア．進捗管理の目的は、日々の仕事の進み具合を把握し、納期遅れを防止することである。

イ．納期遅れを防止するためには、生産速度を早めて仕掛品・在庫を増やすことが必要である。

ウ．進捗管理では、進度調査、進遅判定、速度訂正、遅延調査・対策などが必要になる。

エ．過程的進度を管理するものでは、ガントチャートやダイヤ式進度グラフなどがある。

オ．数量的進度を管理するものでは、製造三角図や流動数曲線などがある。

解答●p.321

1● 安全衛生管理の概要

テキスト第4章第1節

安全衛生管理に関する以下の記述において（　　）に当てはまる最も適切な語句の組合せは、次のうちどれか。

　安全衛生管理とは、労働災害や（　A　）などの発生を予防するため、職場に存在する不安全状態や不安全行動などの（　B　）を発掘し、衆知を集め改善し災害のない明るい職場を構築することである。

　労働災害ゼロを目指し、安全衛生管理組織を構築し（　C　）を遂行する。併せて（　D　）などにより、潜在災害要因を洗い出し改善する活動展開が必要である。

＜語群＞

1．交通災害　　　　2．職業性疾病　　　3．潜在災害要因
4．ヒヤリ・ハット　5．労働者遵守責任　6．事業者責任
7．職場自主活動　　8．安全衛生委員会

	A	B	C	D
ア．	1	3	5	7
イ．	2	4	5	7
ウ．	1	3	5	8
エ．	2	3	6	7
オ．	2	4	6	8

解答● p.322

271

S●安全衛生管理 ＞ 1●安全衛生管理の概要

2●安全衛生管理体制の構築

テキスト第4章第1節

問題
35

H29後

労働安全衛生法に定める安全委員会及び衛生委員会に関する記述として適切なものは、次のうちどれか。

ア．安全委員会の委員の構成は、事業者が指名した安全管理者及び安全に関し経験を有する労働者で構成するが、その委員は労働組合の承認が必要である。

イ．衛生委員会は、業種にかかわらず常時10人以上の労働者を使用する規模の事業場に設置が義務づけられている。

ウ．安全委員会及び衛生委員会の双方の設置を要する事業場は、それぞれの委員会を個別に設置しなければならない。

エ．安全委員会及び衛生委員会の開催の都度、遅滞なく議事概要を労働者に周知させなければならない。

オ．衛生委員会は、2カ月に1回開催し、重要議事は議事録を作成し保存しなければならない。

解答●p.323

4 ● 災害統計等　　　　　　　　　　　　　　テキスト第4章第1節

以下に示す労働災害の統計に関する記述において、（　　）内に当てはまる語句の組合せとして適切なものは、次のうちどれか。

一般に、災害統計として広く使われている尺度として、度数率と強度率がある。

度数率は、次の式で表される。　　度数率 $= \dfrac{(\ \text{A}\ )}{(\ \text{B}\ )} \times (\ \text{C}\ )$

度数率が大きいほど、発生頻度が高いことを表している。

また、強度率は次の式で表される。　強度率 $= \dfrac{(\ \text{D}\ )}{(\ \text{B}\ )} \times (\ \text{E}\ )$

強度率が大きいほど、重大な災害が発生したことを表している。

＜語群＞

1．平均労働時間数　　2．延べ労働損失日数　　3．1,000,000

4．死傷者数　　　　　5．1,000　　　　　　　6．延べ実労働時間数

7．10,000

ア．A：1　　B：6　　C：3　　D：2　　E：7
イ．A：2　　B：1　　C：7　　D：4　　E：5
ウ．A：2　　B：6　　C：5　　D：4　　E：7
エ．A：4　　B：1　　C：7　　D：2　　E：3
オ．A：4　　B：6　　C：3　　D：2　　E：5

解答 ● p.324

S●安全衛生管理 ＞ 2●労働安全衛生法の概要

1●労働安全衛生法の体系等の概要

テキスト第4章第2節

問題
37

H29前

労働安全衛生法に関連する法体系と構成に関する記述として不適切なものは、次のうちどれか。

ア．労働安全衛生法は、労働安全衛生施行令及び労働安全衛生規則を中心としてクレーン等安全規則などの特別規則により構成されている。

イ．安全規則として、ボイラー及び圧力容器安全規則、クレーン等安全規則、ゴンドラ安全規則などがある。

ウ．衛生規則として、有機溶剤中毒予防規則、鉛中毒予防規則、特定化学物質障害予防規則、酸素欠乏症等防止規則などがある。

エ．労働安全衛生法と労働基準法は、目的が異なることから分離独立して運用される。

オ．法は国会で、施行令等政令は内閣で制定され、規則等省令は法律や政令を施行するため、又は法律などの特別委任に基づいて所轄大臣が発する。

解答●p.325

2●労働安全衛生法の目的と各章の構成　テキスト第4章第2節

労働安全衛生法において、目的、定義、事業者の責務等として規定されている内容に関する記述として不適切なものは、次のうちどれか。

ア．労働安全衛生法は、労働基準法から分離独立し制定されたものであり、それぞれ個別に運用するよう定められている。

イ．労働災害とは、労働者が業務上負傷し、疾病にかかり、又は死亡することをいう。

ウ．労働者の危険又は健康障害を防止するための措置は、事業者の講ずべき措置に加えて、労働者の遵守義務及び元方事業者や請負人等の講ずべき措置が定められている。

エ．事業者は、労働安全衛生法最低基準の遵守に加え、快適な作業環境の実現や労働条件の改善への努力義務がある。

オ．事業者は、労働安全衛生法令や規則等の要旨を常時各作業場の見やすい場所に掲示し、又は備え付ける等により労働者に周知させなければならない。

解答 ●p.327

S●安全衛生管理 ＞ 2●労働安全衛生法の概要

3●事業者等の講ずべき措置

テキスト第4章第2節

労働安全衛生法において、定められた危険に対して、それを防止するために事業者が講ずべき措置が定められているが、その定められた危険に関する記述として該当しないものは、次のうちどれか。

ア．機械、器具その他の設備による危険

イ．爆発性の物、発火性の物、引火性の物等による危険

ウ．電気、熱、その他のエネルギーによる危険

エ．墜落危険場所、土砂等崩壊危険場所等に係る危険

オ．地震、津波、集中豪雨等による危険

解答●p.328

S●安全衛生管理 ＞ 3●設備等物的安全化

1 ● 労働安全衛生法に定める機械等の規制 テキスト第4章第3節

問題 **40**

労働安全衛生法に基づく特定自主検査に関する記述として不適切なものは、次のうちどれか。

ア．フォークリフトは、特定自主検査の対象機械である。

イ．動力により駆動されるプレス機械は、特定自主検査の対象機械である。

ウ．特定自主検査は、その結果を記録し3年間保存しなければならない。

エ．特定自主検査を実施したときは、機械の見やすい箇所に検査標章を貼り付けなければならない。

オ．特定自主検査は、その使用する労働者で月次点検等の実施経験者の内から、事業者が指名した者に実施させなければならない。

解答● p.329

S●安全衛生管理　＞　4●安全教育等人的安全化

1●労働安全衛生法に定める労働者の就業にあたっての措置　テキスト第4章第4節

労働安全衛生法に明記されている教育に関する記述として不適切なものは、次のうちどれか。

ア．新たに雇い入れた労働者に対する安全衛生教育

イ．異なる作業に転換したときや、機械・設備、作業方法などに大幅な変更があったときの該当作業従事者に対する作業内容変更時の安全衛生教育

ウ．最大荷重1トン未満のフォークリフトの運転業務など危険又は有害な業務に従事させる労働者に対する特別教育

エ．危険有害業務に現に従事している労働者に対する安全衛生水準向上教育

オ．新たに安全衛生委員会のメンバーに選任された委員に対する安全衛生教育

解答●p.330

労働安全衛生法で定められた労働者の就業にあたっての措置に関する内容として不適切なものは、次のうちどれか。

ア．労働者を雇い入れたときは定められた事項について安全衛生教育を実施しているが、この教育にはパートタイマーやアルバイトも含めて実施している。

イ．作業を直接指揮監督する職務に就くことになった新任の職長に対し、定められた科目と時間に基づき、安全衛生職長教育を実施している。

ウ．最大荷重1トン以上のフォークリフト運転業務に労働者を従事させるときは、フォークリフト運転技能講習修了証を携帯させている。

エ．クレーン（吊り上げ荷重１トン以上）の玉掛け業務に従事させる労働者
　　に、玉掛け業務に関する特別教育を実施し、教育記録を作成し、その業務
　　に従事させている。

オ．就業制限に係る業務従事者及び特別教育を必要とする業務従事者を対象
　　として、それぞれの従事業務に関する安全衛生水準向上教育を定期的に実
　　施している。

解答 ● p.330

Ｔ●環境管理 ＞ 1●環境問題の歴史的経緯と環境基本法

4●環境基本法と関連法規制　　テキスト第5章第1節

問題
43

H29前

環境基本法の基本理念に関する記述として最も不適切なものは、次のうちどれか。

ア．国際的協調による地球環境保全を積極的に推進する。

イ．現在及び将来の世代の人間が健全で恵み豊かな環境の恵沢を享受する。

ウ．環境の保全に関する基本的な計画を作成し、推進する。

エ．人類の存続の基盤である環境が将来にわたって維持されるようにする。

オ．環境への負担の少ない持続的発展が可能な社会を構築する。

解答●p.332

2●水質汚濁とその対策 テキスト第5章第2節

水質汚濁防止法の運用に関する記述として不適切なものは、次のうちどれか。

ア．第7次水質総量規制では、対象事業所の排水中のCODに加え、全窒素及び全燐（りん）の3成分に対して、削減目標量が定められている。

イ．事業者は排水の汚染状態を測定し、記録を保管しなければならない。

ウ．国が定めた排出基準では不十分な場合には、都道府県は上乗せ基準を条例で定めることができる。

エ．事業者は特定施設の破損などにより、健康、生活環境に被害の恐れがある事故が起きた場合には、直ちに応急措置を講じ、速やかに国に届け出なければならない。

オ．事業者は、特定施設を設置又は変更しようとする場合には、都道府県知事に届け出なければならない。

解答● p.333

T●環境管理 ＞ 2●公害防止対策

4●騒音・振動とその対策

テキスト第5章第2節

 問題 **45**

騒音規制法の内容に関する記述として最も不適切なものは、次のうちどれか。

ア．自動車騒音の状況の公表は、都道府県の町村の区域については都道府県知事が、市の区域については市長が行う。

イ．機械プレスや送風機など、著しい騒音を発生する施設であって政令で定める施設を設置する工場・事業場が規制対象になる。

ウ．自動車単体から発生する騒音に対して、自動車が一定の条件で運行する場合に発生する自動車騒音の大きさの限度については都道府県知事が定めている。

エ．深夜騒音などの規制に関しては、地方公共団体が、住民の生活環境保全の観点から、当該地域の自然的、社会的条件に応じて必要な措置を講ずる。

オ．くい打機など、建設工事として行われる作業のうち、著しい騒音を発生する作業であって政令で定める作業を規制対象にしている。

解答●p.334

緊急事態への対応に関する記述として不適切なものは、次のうちどれか。

ア．地震、雷、火災、ミスオペレーション等について、起こりそうなケースの対応を考える。

イ．緊急事態発生時には、初めに事故鎮圧・復旧のための措置を行う。

ウ．化学物質や危険物の物質安全性データ等の資料を整備する。

エ．緊急事態発生時の教育訓練を行う。

オ．緊急事態発生時には、近隣への広報・避難誘導を行う。　解答●p.335

Ｔ●環境管理 ＞ ４●循環型社会をめざして

1● 廃棄物とリサイクル

テキスト第５章第４節

循環型社会形成推進基本法では、資源をできるだけ有効活用するために、３Ｒ（リサイクル、リデュース、リユース）の原則に従って処理されなければならないとしている。３Ｒが廃棄物の削減に努めるのに好ましい優先順位は、次のうちどれか。

1．資源として再生する。
2．出るゴミをできるだけ減らす。
3．製品としてそのまま（又は修理して）再使用する。

ア．3→1→2
イ．1→2→3
ウ．2→3→1
エ．3→2→1
オ．2→1→3

解答● p.337

資源の有効利用に関する記述として最も不適切なものは、次のうちどれか。

ア．３Ｒとは、Reduce、Reuse、Recycleの３つのＲのことをいう。
イ．エネルギー管理指定工場には、燃料使用量と電力使用量によって、第一種と第二種の区分がある。
ウ．循環型社会形成推進基本法は、廃棄物処理法、グリーン購入法などの法律を一体的に運用するものである。

エ．省エネルギー法には、エネルギー使用合理化基準が告示されている。

オ．化学物質排出移動量届出制度は、資源の有効利用を目的として制定された。

解答 ●p.338

1●CSRとは

テキスト第5章第6節

問題
49

企業の社会的責任（CSR）に関する記述として不適切なものは、次のうちどれか。

ア．遵守すべき事項は法律だけでなく、業界の規範、地域の取り決めも含まれる。

イ．企業の立場から積極的にコミュニケーションを図っていく活動が重要視されてきている。

ウ．自社が適用される法令等の条項を整理し、常に最新のものであるように定期的に見直す。

エ．環境会計は、自社の環境に関わる費用と効果を定量的に把握し分析して環境省へ報告する取組みである。

オ．企業のステークホルダーには、株主などのほかに従業員も含まれる。

解答●p.339

T●環境管理 ＞ 6●企業の社会的責任

3● 環境報告書と環境会計　テキスト第5章第6節

環境会計に関する以下の説明において、（　　　）内の用語の組合せとして適切なものは、次のうちどれか。

　環境会計とは、（　A　）における環境保全のための（　B　）とその活動で得られた（　C　）と環境面の効果を把握し、可能な限り定量的に測定・（　D　）する仕組みである。

ア．A：管理活動　　B：逸失利益　　C：組織面　　D：評価
イ．A：事業活動　　B：コスト　　　C：財務面　　D：伝達
ウ．A：管理活動　　B：逸失利益　　C：財務面　　D：評価
エ．A：事業活動　　B：コスト　　　C：会計面　　D：伝達
オ．A：管理活動　　B：逸失利益　　C：組織面　　D：伝達

解答● p.340

生産管理オペレーション **2級**

● 共通問題

ビジネス・キャリア®検定試験
解答・解説編

1●品質の計画

テキスト第1章第1節

問題 1　解答

H28前

正　解　エ

ポイント　品質の計画とコストについての理解を問う。

解　説

ア．適切。品質管理の目的は、買手の要求に合った品質を設計し、その品質の品物、サービスを経済的に作り出すことにある。オペレーションでは後者の「品質又はサービスを経済的に作り出す」ことに重点があり、Qを達成するための手段である4M〔Man（作業者）、Machine（設備）、Material（原材料）、Method（方法）〕を効率的に管理していくことが重要である。

イ．適切。顧客の要求品質を網羅的に満たすのではなく、ターゲットを絞り製造コストを抑えることで、利益を最大とする設計品質を目指すのが一般的である。

ウ．適切。消費者の立場からは、製品を購入して使用を中止するまでのトータルコストとしてのライフサイクルコストが重要となってきており、取得コストと維持・廃棄コストまでを考慮した製品企画が重要である。

エ．不適切。不特定多数の消費者を対象とした製品仕様を定める場合には、市場調査などの情報収集が重要であり、市場（顧客）の要求と販売価格が合致する必要がある。

オ．適切。不適合品の発生は、製品の販売量に影響を及ぼし、売上損失に結び付く。

2●品質の作り込み

問題 **2** 解答

正　解　ウ

ポイント　品質管理の基本的な考え方についての理解を問う。

解　説

ア．適切。設計品質は顧客の要求、市場、経済性、自社の技術水準、機械・設備などを考慮し決定される。

イ．適切。設計品質では、顧客の要求品質を満たすために、製造コストを下げ、品質レベルの向上をさせることが必要である。

ウ．不適切。顧客が要求する品質で「市場品質」とも呼ばれる。営業部門やマーケティング部門で市場調査などによって情報収集を行い、マーケットに適合した品質を把握する必要がある。

エ．適切。「適合品質」は設計品質をねらいとして生産する製品の実際の品質で、「できばえの品質」とも呼ばれる。製品のバラツキを考慮した基準を設定し管理することが重要である。

オ．適切。品質保証は、要求品質、設計品質、適合品質の中で、特に製造工程における4M（Man、Machine、Material、Method）を管理して品質特性のバラツキを減少させ適合品質を達成することが重要である。

1●統計的手法　テキスト第1章第2節

問題
3 解答
H28後

正　解　オ

ポイント　品質管理における統計的手法についての基礎知識を問う。

解　説

ア．適切。母集団には有限母集団と無限母集団があり、有限母集団は、ロットなど1つの有限の集まりで、無限母集団は、製造工程などの連続的に製品が製造される無限の集団である。

イ．適切。品質管理で用いられるデータは、計量値と計数値の2つに分けられる。計量値とは、長さ、温度、重さなど測定値として得られる値であり、ある区間内の任意の値を取りうる連続確率変数で表されるデータである。一方、計数値とは、事故数、不適合品数、件数など個数として数えられる値であり、離散確率変数で表されるデータである。

ウ．適切。μ、σがどのような値でも、σのある比率に入る割合が一定である性質を利用して、あらかじめ標準となる正規分布の割合を求めて表にし、任意のμ、σの値を換算することにより確率を求めることが一般的に行われる。この標準となる正規分布のことを、標準正規分布（基準正規分布）といい、$\mu = 0$、$\sigma = 1$の正規分布である。

エ．適切。製造工程が安定した状態で作り出される製品のキズの数、ピンホールの数、毎月の事故件数などの不適合の出現数は不規則に変化する。この不適合の出現する統計的な規則性を示す分布が、ポアソン分布となる。

オ．不適切。ある機械が故障するまでの時間は、一般に指数分布に従うといわれている。

2●統計的手法と改善　　　　　　　　テキスト第1章第2節

問題 **4** 解答　　　　　　　　　　　　　　　　　H28後

正　解　エ

ポイント　統計的手法についての理解を問う。

解　説

ア．不適切。チェックシートを用いて、定量的なデータを収集することで、不適合項目の発生や、不適合品が多く発生する時間帯などの傾向を見ることに適している。

イ．不適切。ヒストグラムは、製品の規格との関係を把握と、製造工程の異常を見ることに適している。

ウ．不適切。パレート図を効果的に作成するための縦軸にはQCDを取り、横軸には4Mを中心とした項目を取り上げるとよい。

エ．適切。特性要因図は、特性（結果）に対して要因（原因）がどのように影響しているのかを系統的に示したもので、その形が魚の骨に似ていることから、「魚の骨」とも呼ばれている。問題の因果関係を整理し原因を追求する目的に使用する。

オ．不適切。散布図を作成して見ると2変数の関係をおおよそ把握することができる。また、異常なデータを捉えることもできる。

3● 仮説検定　　　　　　　　　　　　　　　テキスト第1章第2節

問題 **5** 解答　　　　　　　　　　　　　H28前

正　解　　エ

ポイント　仮説検定の基本的な事項についての理解を問う。

解　説

ア．適切。仮説検定とは、対象とする母集団に関して「ある仮説（仮定）」が正しいかどうかを、サンプル（データ）を用いて客観的に判定する方法である。

イ．適切。検定の考え方は、帰無仮説を棄却して対立仮説を採択することであり、第1種の誤り（帰無仮説が正しいにもかかわらず、棄却する誤り）を小さくすることである。

ウ．適切。帰無仮説は、統計的検定によって検定される仮説であり、帰無仮説を実証することはできない。むしろ、与えられた状況が帰無仮説を棄却するには評価が不十分と考えられる場合があるだけである。（JIS Z 8101 −1：2015「1.41」）

エ．不適切。データが計量値か計数値であるかで検定の方式が異なる。

オ．適切。検定では、第1種の誤り（帰無仮説が正しいにもかかわらず、棄却する誤り）を5％以下（又は1％以下）に設定することが一般的であり、この設定値のことを有意水準（危険率 α ）という。

P●品質管理　＞　3●検査

1● 検査の目的と種類
テキスト第1章第3節

問題 **6** 解答

H28前

正解　ア

ポイント　工程検査についての基礎知識を問う。

解説

ア．不適切。後工程では手直しできないことが多い。次の工程に対して工程検査だけで品質を保証したことにならない。

イ．適切。前工程で製造した半製品が不適合品の場合は、それ以降に加工された半製品も不適合品となる。後工程にいくほど、付加価値が高められていくことから不適合品となった場合の損失も増加する。したがって、なるべく源流の工程で不適合品が除去されることが望ましい。

ウ．適切。検査データを活用することで、自工程の品質向上を目指すことも重要である。

エ．適切。自主検査。製造担当者が自工程で製造した製品や半製品に対して自らチェックを行い仕様どおりに製造できたか否かを確認する検査である。自ら製造したものに責任を持ち、不適合品を後工程に流さないことを目指している。

オ．適切。1つでも不適合品が出荷されると経済的にも信用にも重大な影響を与える次のような場合に適用される。

①検査項目が少なく、簡単に検査できるもの

②ロットの大きさが小さいもの

③不適合品が人命に影響を与える致命的なもの

④製品が非常に高価な場合

3● 検査と異常処理 テキスト第1章第3節

問題 **7** 解答 H28後

正　解　ウ

ポイント　是正処置と予防処置についての理解を問う。

解　説

ア．不適切。応急対策には、「不適合品の流出防止」や「直接的原因の除去」がある。

イ．不適切。恒久対策には、「真の原因の把握」や「対策の実施と歯止め」がある。

ウ．適切。品質不適合の再発防止とともに、潜在的に品質不適合が発生する可能性のある原因をあらかじめ除去する予防対策が重要である。予防措置の実施には、潜在的問題点を把握することが重要となる。潜在的な問題点を把握するためには、工程管理において検査データや不適合品の発生などの記録が不可欠である。

エ．不適切。予防処置では、不適合品が発生する前に管理状態に是正できるようにすることが重要である。

オ．不適切。ISO9001の要求事項には「是正処置」の項目がある。

1●管理図の目的と種類　　　　　　　　テキスト第1章第4節

問題
8 解答　　　　　　　　　　　　　　　　　H29後

正　解　エ

ポイント　管理図の原理（３σ）についての理解を問う。

解　説

ア．不適切。管理図に用いられる統計的な分析は、計量値の場合は正規分布
　　であり、計数値の場合は二項分布である。

イ．不適切。管理されていない変動でも管理限界内に点があり管理されてい
　　る変動と誤ってしまうことを第2種の誤りという。

ウ．不適切。正規分布に従うデータの場合、平均 μ から $\pm 3\sigma$ を超える確率
　　は約0.3%である。

エ．適切。品質をばらつかせる工程の変動原因は管理されている変動と管理
　　されていない変動の2種類に分けられる。

オ．不適切。３σの管理限界線は、個々の特性値から製品の合否を判定する
　　ものではなく、工程の管理状態を見るものである。

3●管理図の作成と見方

テキスト第1章第4節

問題 **9** 解答

H28後

正 解 エ

ポイント $\bar{x} - R$ 管理図の作成方法についての理解を問う。

解 説

$\bar{x} - R$ 管理図では、工程から数個の試料（サンプル）をとり、その平均値 $\bar{x}$ と範囲 R を算出し、管理図用紙上に打点する。打点した点の位置や経時的な変化から工程管理状況を把握する方法である。

各々の算出方法は、下式から求められる。

$\bar{x}$ 管理図上方管理限界 $\quad UCL = \bar{\bar{x}} + A_2 \bar{R}$

$\bar{x}$ 管理図下方管理限界 $\quad LCL = \bar{\bar{x}} - A_2 \bar{R}$

R 管理図上方管理限界 $\quad UCL = D_4 \bar{R}$

したがって、エが正解。

1 ● 社内標準化の意義　　　　テキスト第1章第5節

問題 **10** 解答　　　　　　　　　　　　　

正　解　イ

ポイント　社内標準化の意義と問題点についての理解を問う。

解　説

ア．不適切。社内標準化により設計時間が短縮され、トータル的に設計コストは低減される。設計標準化の初期にコスト増になる可能性はあるが、トータル的に設計コストは低減されるので、「デメリットは設計コストが上昇する」といい切ることはできない。

イ．適切。一般的な標準化の目的は、①共通理解の促進、②安全性の確保、③消費者の保護、④使用目的の適合性の確保、⑤互換性の確保、⑥種類の抑制、である。

ウ．不適切。社内標準化は組織全体を意思統一させる必要があるため、方針を決定するのは、各部門の代表により構成された意思決定機関が行うべきである。

エ．不適切。ISOやJISなどの上位レベルの規格に従う形で進める必要がある。

オ．不適切。規程類の作成は、社内標準化の手段である。

P●品質管理　＞　5●社内標準化

2●社内標準化の進め方
テキスト第1章第5節

問題 **11** 解答

H29後

正解　ウ

ポイント　社内標準化の目的についての理解を問う。

解説

ア．適切。消費者に品質を保証するためには、設計品質や製造品質を安定させる必要があり、設計や製造段階での品質管理おける標準化により、4Mのばらつきを抑えることが必要となる。

イ．適切。各部門の業務について標準化する過程で、合理的な仕事のやり方や業務のルール化により仕事の効率化が可能となる。また、業務の手順や方法の統一により、仕事のミスが減る効果も期待できる。

ウ．不適切。外注の推進は社内標準化の目的ではない。

エ．適切。機器の操作や作業の標準化により、安全と衛生の確保、健康の維持が可能となる。

オ．適切。各部門での標準書作成により、技術や業務の情報を周知することが可能となる。また、社内教育用として活用することで技術や業務の保持や伝承が期待できる。

1 ●品質保証の意義と進め方 テキスト第1章第6節

問題 **12** 解答 H27後

正　解　エ

ポイント　品質保証活動についての理解を問う。

解　説

ア．適切。品質保証は、品質要求事項が満たされるという確信を与えること
　に焦点を合わせた品質マネジメントの一部である。（JIS Q 9000：2015
　「3.3.6」）

イ．適切。品質マネジメントは経営活動の一環であり、「確信を与える」こ
　とを証明できる品質保証体制が求められている。

ウ．適切。品質保証活動は、消費者に提供する製品を生産する活動と、それ
　に付随するサービス活動に分けられる。この活動を行うためには蓄積され
　た技術情報や、顧客や市場情報が必要となる。

エ．不適切。開発部門ではなく、生産部門の品質保証活動である。

オ．適切。購買部門では、品質保証を行うために購入先・外注先の選定や品
　質指導も行う必要がある。

2●品質保証とクレーム処理

問題 **13** 解答

正　解　ウ

ポイント　クレームの原因対策を進めるステップについての理解を問う。

解　説

　クレームの原因として、製品そのものの不適合なのか品質保証システムの不適合なのかを特定し、真の原因に対して以下のようなステップで対策を立てることが重要である。

　①クレームの内容確認

　②クレームの原因の特定

　③クレームの再発防止を確実にするための処置の必要性の評価

　④必要な処置の決定及び実施

　⑤とった処置の結果の記録

　⑥実施した活動のレビュー及び対策の水平展開

　したがって、ウが正解。

3●費目別計算の方法　　　　　　　　　テキスト第2章第1節

問題 **14** 解答　　　　　　　　　　　　　　　H29後

正 解　ウ

ポイント　製造原価要素の「形態別分類」の原価分類についての理解を問う。

解 説

ア．適切。電気料金やガス料金のように料金体系がはっきりしており、メーターや度数系で使用料が測定でき、料金を測定できる経費を測定経費という。

イ．適切。作業者や作業員に支払われる費用は労務費に分類される。

ウ．不適切。修繕料は経費に分類される。

エ．適切。外注加工費、保管料、旅費交通費など、支払いの事実に基づいて測定される経費を支払経費という。

オ．適切。材料費は、原価計算期間における実際の消費量に消費価格を乗じて計算する。

●参考文献

・『原価計算基準』「第2章　実際原価の計算」

5●原価概念と原価計算の整理　　テキスト第2章第1節

 問題 **15** 解答　　H28後

正　解　ウ

ポイント　原価の概念についての理解を問う。

解　説

ア．不適切。埋没原価の説明。設備投資において新たに導入する新設備と旧設備を比較する場合、旧設備の残存価値がこれにあたる。

イ．不適切。変動費の説明。製造活動のように操業度に応じて発生する原価である。

ウ．適切。機会原価は、いくつかの代替案から1つの選択肢を選んだために、他の選択肢を選んだときに得られたであろう利益（断念される利益）又は発生したであろう原価のことである。

エ．不適切。管理不能費の説明。組織における意思決定が発生を左右する原価で、意思決定によって発生がコントロールできる原価を管理可能費、コントロールできない原価を管理不能費という。

オ．不適切。直接費の説明。事業や製品に直接結び付けられる費用を直接費、コストの発生が事業や製品と結び付かない費用を間接費という。

2●原価標準と標準原価 テキスト第2章第2節

 問題 **16** 解答 H27後

正　解　イ

ポイント　標準原価の手続きについての理解を問う。

解　説

ア．適切。標準原価は客観的かつ科学的に定められなくてはならない。

イ．不適切。標準消費量については、通常生ずると認められる程度の減損、仕損等の消費余裕を含める（『原価計算基準』「第3章」41）。

ウ．適切。標準原価の設定に際しては、生産管理部門だけではなく製造部門、購買部門、技術部門、設計部門などの関係部門の協力が必要になる。

エ．適切。標準原価計算の特徴は、標準値を設定して実施後の実績値と標準値を比較・分析し、差異が生じた場合にその原因が容認できるものか否かを判定して次の標準値の設定に反映させるところにある。

オ．適切。原価標準は、材料費、労務費、経費の各原価項目に対して設定された1単位当たりの標準的な原価であり、標準原価は、それらの合計値に実際生産量を乗じて算定される。

●参考文献

・『原価計算基準』「第3章　標準原価の計算」

1●原価企画の意義　　　　　　　　　　　　　　　テキスト第2章第3節

問題 **17** 解答　　　　　　　　　　　　　　　　　H28前

正　解　エ

ポイント　原価企画についての基礎知識を問う。

解　説

ア．適切。VEには、ゼロルックVE、ファーストルックVE、及びセカンドルックVEの3段階があり、最も効果が高いのは商品企画段階で適用されるゼロルックVEである。

イ．適切。「クロスファンクショナルチーム」とは、全社的な経営課題を解決するため、部署や役職にとらわれず必要な人材を集めて構成されるチームのことである。原価企画活動におけるクロスファンクショナルチームのコミュニケーションは必須である。

ウ．適切。コストテーブルは、利用目的によって①設計のためのコストテーブル、②製造のためのコストテーブル、③購買のためのコストテーブルに分けられる。

エ．不適切。作業方法の見直しは行う。加工費を含めないやり方もあるが、加工費の低減についても原価企画の範疇に加えるやり方もある。

オ．適切。統合法では、下式にて許容原価を算定する。そののちに、市場志向の数値である許容原価と技術志向の数値である成行原価との擦り合わせを行い目標原価を設定する。そして、VEによる検討やベンチマーキングなどを活用して、成行原価を目標原価に近づけていくという方法をとる。

予定売価−目標利益＝許容原価→目標原価←成行原価

（擦り合わせ）

3●目標原価　テキスト第2章第3節

問題 **18** 解答　H28後

正　解　ア

ポイント　目標原価の設定方法についての理解を問う。

解　説

ア．不適切。実際原価を求める方法である。

イ．適切。積上げ法は、技術者が現行の製品原価を基にして、追加機能あるいは削除機能、ムダ・ムリの削除、新たに加えられるコスト要因などを、部品加工、組立作業、組立方法などの段階まで細かく分類するなどして、原価を積算する。

ウ．適切。許容原価の説明である。許容原価＝予定売価－目標利益で求められる。

エ．適切。割付法は、理想的な原価を照らして実行性を検討し、目標となる原価を設定する方法である。

オ．適切。問題17、オの解説を参照。

1 ●損益分岐点、限界利益

テキスト第2章第6節

問題 19 解答

H29前

正 解 ウ

ポイント 損益分岐分析についての基礎知識を問う。

解 説

変動費率＝15,000千円÷25,000千円＝0.6

求める売上高＝（6,000千円＋8,000千円）÷（1−0.6）

$\qquad$ ＝14,000千円÷0.4＝35,000千円

よって、現在よりも増やさなければならない売上高は

$\qquad$ 35,000千円−25,000千円＝10,000千円

したがって、ウが正解。

問題 20 解答

H28前

正 解 ウ

ポイント 損益分岐点、安全余裕率及び限界利益率についての理解を問う。

解 説

＜次年度の損益分岐点＞

　（販売価格750円×販売数量10,000単位×1.1）×（1−安全余裕率0.2）

　＝6,600,000円

＜安全余裕率20％における限界利益率＞

　限界利益率をχとおくと、

$$損益分岐点＝\frac{固定費}{χ}$$

　次年度の損益分岐点6,600,000円

$$= \frac{（次年度の固定費（394,000円＋950,000円＋9,000円））}{\chi}$$

6,600,000円 χ ＝1,353,000円

χ ＝0.205 ∴限界利益率20.5％

したがって、ウが正解。

問題 **21** 解答

H29前

正解 エ

ポイント 損益分岐点・限界利益についての理解を問う。

解説

安全余裕率は、損益分岐点売上高と現実の売上高との関係を次のような式で示す。

安全余裕率＝（現在の売上高－損益分岐点売上高）÷現在の売上高×100

で示される。

問題に示された数字を入れ込むと

（売上高4,000,000－損益分岐点売上高1,600,000）

÷売上高4,000,000×100＝60（％）　となる。

したがって、エが正解。

2●経済性評価

問題
22 解答

正解　オ

ポイント　経済性評価についての理解を問う。

解説

ア．適切。設備投資案が何年で回収できるかを求め、投資回収希望年数と長短を比較する方法である。

イ．適切。逆に、年価を現在価値に変換する係数は年金原価係数という。

ウ．適切。「正味現在価値法」は、対象となる設備投資案を用いた製品の製造・販売によって得られる将来の現金流入額と投資に投じた金額（現金流出額）とを比較し、その差額である正味現在価値（P）がプラスになる投資案を投資の対象とする方法である。

エ．適切。「投資利益率」は、複利係数の式において「 i 」の値を判定の基準にする方法である。

オ．不適切。「売上利益率×資本回転率」で算出されるのは、内部利益率ではなく、資本利益率である。

1●操業度と原価低減 テキスト第2章第7節

問題 23 解答

| 正 解 | ア |

| ポイント | 操業度と固定費の関係についての基礎知識を問う。|

解 説

固定費は特定の期間は変動しないため生産数によらず、固定費総額は変わらない。余剰な生産能力がある場合、需要が伸びて生産数を増やすと、製品1個に含まれる固定費は低くなる。

したがって、アが正解。

3●納期遅延対策

問題 24 解答

H26前

正 解　ウ

ポイント　納期遅延発生時の対策についての理解を問う。

解 説

ア．適切。納期遅延の回復策は2つある。生産能力の増加と、お客の注文の生産順序を変えることである。

イ．適切。注文そのものに対して順番を変更する方法は、納期遅れを挽回するための方法としては有効であるが手間もかかるので、工程ごとにその工程にある仕掛品に対して順序づけする方法のほうがよいことになる。

ウ．不適切。ほかの注文に対する影響も考慮する必要がある。

エ．適切。作業内容や必要な部品についての情報を伝票に記入し、工場に流す。あとは、各工程で伝票の内容から判断してその工程の担当者に作業の優先順序を決めてもらう方法でディスパッチング法といわれる。

オ．適切。処理時間の見積りが難しく、そのばらつきも多い場合には、あらかじめ計画段階で納期遅延対策を打つことが難しいため、工程ごとの統制を中心とした進捗管理を行うことになる。

問題 25 解答

H27後

正 解　イ

ポイント　作業や工程の能率を高めることと納期対策との関連についての理解を問う。

解 説

ア．適切。「改善による工数低減」対策の1つである。

イ．不適切。3直から2直にシフトを変更すると、操業時間が少なくなり、ますます納期遅れが発生する可能性が大きくなる。

ウ．適切。「改善による工数低減対策」の1つである。

エ．適切。仕掛品がなくなると、作業者の手持ちが発生することがあるため、特にネック工程前後での仕掛品調整は重要である。

オ．適切。「加工不適合品の減少」対策。

2●開発・設計期間の短縮

 問題 **26** 解答 H25後

正　解　　イ

ポイント　　設計時間の短縮の考え方についての理解を問う。

解　説

ア．適切。設計者のスキル向上は重要である。

イ．不適切。過去の設計図面を合理的に活用することは、設計時間の短縮に効果的である。

ウ．適切。クリティカルパス上にあるタスクの時間短縮を行うことが設計時間の短縮に効果的である。

エ．適切。設計と製造がコンカレントに行うことは顧客納期の短縮につながる。

オ．適切。できるだけ開発初期段階で課題をつぶすやり方はフロントローディング方式ともいわれ、設計時間の短縮には有効な手段である。

●参考文献

・藤本隆宏「生産マネジメント入門」日本経済新聞社

3●調達期間の短縮

問題 27 解答

正　解　オ

ポイント　外注先との円滑な関係性の構築についての理解を問う。

解　説

ア．適切。設計負荷は、仕様変更や各種トラブル、飛び込み設計などで常に変化することが一般的であり、その都度設計能力の調整が必要である。そのためには各設計者の設計能力を把握すると同時に、適正規模の設計外注を確保すること、さらには設計部門及び設計外注先の余力の状況を常に把握することが重要である。

イ．適切。外注先に対する指示・指導は、基本的には資材部門などにより窓口を一本化し、円滑なコミュニケーションがとれるようにする。

ウ．適切。一般に、外注先には内示注文と確定注文の2段階で行われる。

エ．適切。外注先に発注した場合は、その進捗管理、品質管理及び設計後の図面管理が重要な課題となる。

オ．不適切。検査を強化しても調達期間の短縮にはつながらない。

問題 28 解答

正　解　ウ

ポイント　発注企業の調達期間と受注企業の調達期間との関係についての理解を問う。

解　説

ア．適切。発注企業における受入検査では、業務の簡素化や検査の緩急順位を明確にし、さらに、検査作業の標準化と機械化・自動化など検査の確実化・迅速化を図る必要がある。

イ．適切。外注品の納期遅延の予防と発注企業側の組立などとの同期化が重

要である。つまり、必要なときに必要な品種や量を確実に納入できる体制の確立が必要であり、そのためにはカムアップシステムなどを応用して外注の事前情報を常に把握し、状況に応じて社内外の関連部門へ迅速に情報を伝達し、的確な対応ができる体制を確立しておく必要がある。

ウ．不適切。品種や生産量が多い場合は、仕掛品在庫を持たないほうが良い。

エ．適切。治工具類の整備・標準化は、生産技術面の対策の1つである。

オ．適切。生産情報の基本となる生産計画面の適正化によって、製造期間の短縮を図ることができる。

●参考文献

・日本経営工学会編「生産管理用語辞典」日本規格協会　2002

4 ● 製造期間の短縮

 問題 29 解答

正　解　ア

ポイント　生産期間の分類と生産期間短縮の方法についての理解を問う。

解　説

ア．不適切。この改善は設計部門が取り組む改善である。もちろん製造部門がきっかけ（トリガー）となることが多いが、主体は設計部門であり、協力部門は製造部門、調達部門である。

イ．適切。不適合品発生の防止のための改善は、製造部門で行う最も重要な活動である。

ウ．適切。特に、ネック工程の改善が大切である。

エ．適切。レイアウトや作業方法の改善より、製造技術の改善は優先的に進める活動といえる。

オ．適切。計画外の仕掛品の増加は、スペースや作業工数の増加をもたらす。

　生産に直接関わる製造活動及び生産統制の適正化によって、製造期間の短縮を図ることができる。具体的な対策としては次のことが挙げられる。

　①作業の標準化と作業者への教育の徹底

　②工程間の仕掛品の削減と、加工及び移動ロットの最小化

　③第一線管理者中心の事前準備及び段取の徹底

　④職場及び工程間のジョブローテーション、応援体制の確立

　⑤各工程の自主検査体制及び品質管理システムの確立

　⑥生産立ち上がりの初期流動管理の標準化・集中化

　⑦生産統制（進捗管理、余力管理、現品管理など）の強化

　⑧作業者及び第一線管理者への技術的・管理的な継続的教育体制の確立

問題 **30** 解答 H29前

正 解 エ

ポイント 製造工程の各段階で生産技術・生産計画から見た製造期間の短縮対策についての理解を問う。

解 説

製造の各段階における具体的な短縮対策は、受注・個別生産や見込・連続生産など生産形態によって異なるが、一般的には「生産技術面」、「生産計画面」、「製造面」の視点からの対策が挙げられる。

ア．適切。生産技術面の具体的対策である。

イ．適切。生産技術面の具体的対策である。

ウ．適切。生産技術面の具体的対策である。

エ．不適切。環境対策を充実させても、納期短縮とは直接的につながらない。別の価値観の充足。

オ．適切。生産計画面の具体的対策である。

R●納期管理 ＞ 8●仕掛品の削減

3●仕掛品の増加防止策　テキスト第3章第8節

問題
31 解答　H28前

正　解　エ

ポイント　仕掛品増大の製造側の原因についての理解を問う。

解　説

ア．不適切。製造部門の原因である。工程編成や工程間のアンバランスによる原因（製造責任）。

イ．不適切。製造部門の原因である。作業方法や未熟な作業のために発生する場合もある（製造責任）。

ウ．不適切。製造部門の原因である。欠勤や設備不足は仕事量との兼ね合いである（製造責任）。

エ．適切。製造部門以外の原因である。設計部門や発注先の問題であり製造部門とは直接的には関係ない。

オ．不適切。製造部門の原因である。作業者のモラルの問題や作業手順書の整備の問題（製造責任）。

1●初期管理の重要性

テキスト第3章第9節

問題 32 解答

H28後

正解　ウ

ポイント　初期管理の進め方についての理解を問う。

解説

ア．適切。初期流動時における品種切り替えの時は、段取り作業の要領（コツ）がつかめず、想定以上にバリが発生する、寸法が安定しないなどのムダが発生する。よって、段取り替えの作業標準化を強化して（マーキングなどでセット位置を記憶するなどでもよい）、調整ロスを防止することが重要である。また、内段取りから外段取りへの研究を含めゼロ段取り化へ進むとよい。

イ．適切。初期流動時は、まず品質の安定、生産数の確保に全力を尽くす。最初から自動機や自動検査機などの導入は制約条件もあり難しいので、治工具での対応、手動機械などでの対応は適切である。

ウ．不適切。作業員を配置し監視を強化しても設備や機械に不具合が発生すれば停止させて、復旧作業が発生する。機械が誤動作すれば不適合製品の発生は避けられない。設備・機械を初期から安定稼働させるためには、設置前の動作確認及び各種プログラム作成時にバグ修正などに全力を注ぎ、事前準備の強化が大切となる。

エ．適切。作業者への指導は、現場に投入する前の事前指導も大切である。

オ．適切。初期流動時の起こり得ることに備えて、種々の体制（生産体制、顧客サービス体制など）をとっておくことは、混乱を最小限に収めるうえで必要である。

2●進捗管理の意義

 問題 **33** 解答

正　解　イ

ポイント　進捗管理の重要性と手法についての理解を問う。

解　説

ア．適切。進捗管理は進度管理ともいい、「仕事の進行状況を把握し、日々の仕事の進み具合を調整する活動」のことである。（JIS Z 8141：2001「4104」）

イ．不適切。進度管理は生産速度を適切に管理して、納期遅れを出さないことである。

ウ．適切。進捗管理の業務には進度調査、進遅判定、進度訂正、遅延調査、遅延対策、回復確認の6つの段階がある。

エ．適切。過程的進度は、主として個別受注生産の場合やロット生産でもロットのサイズが小さい場合に、その仕事がどこまで進んだかを管理する方法である。この管理の図表として、ガントチャートやダイヤ式進度グラフがある。

オ．適切。数量的進度は、連続的生産や数の多いロット生産で製品が継続して流れる場合に、生産した数量で進捗管理する方法である。多品種でも、個別の管理よりも総生産量で管理し、売上げの評価をする場合では数量的進捗管理を行うこともある。この管理の図表として製造三角図や流動数曲線に示したガント式進度表などがある。

1●安全衛生管理の概要

 解答

正　解　　エ

ポイント　　安全衛生管理の概要についての基礎知識を問う。

解　説

　安全衛生管理とは、企業活動によって発生する労働災害や【2．職業病疾病】などの健康障害を発生させないように、職場に存在する不安全な状態や不安全な行動などの災害を起こす可能性（以下、【3．潜在災害要因】という）を発掘し、衆知を集め改善措置を行い、災害のない明るい職場を構築することである。

　労働災害ゼロを目指し、安全衛生組織を構築し、労働安全衛生法で定める【6．事業者責任】を遂行する。併せて、【7．職場自主活動】などにより職場に潜在する危険有害要因を積極的に洗い出し、改善に結び付けていく活動を展開する。この管理活動と職場自主活動を車の両輪のごとく機能させていく必要がある。

　したがって、エが正解。

2●安全衛生管理体制の構築 テキスト第4章第1節

問題 **35** 解答 H29後

正　解　エ

ポイント　労働安全衛生法（安衛法）に定める安全委員会及び衛生委員会についての基礎知識を問う。

解　説

ア．不適切。労働組合の承認でなく、議長以外の半数は労働組合の推薦に基づき指名することが必要である（安衛法第17条）。

イ．不適切。衛生委員会は、業種にかかわらず常時50人以上の労働者を使用する規模の事業場である（安衛法第18条・安衛令第9条）。

ウ．不適切。それぞれの委員会の設置に代えて安全衛生委員会を設置することができる（安衛法第19条）。

エ．適切。安衛則第23条。

オ．不適切。衛生委員会は毎月1回以上開催し、重要議事は議事録を作成し3年間の保存が必要（安衛則第23条）。

※安衛令：労働安全衛生法施行令
　安衛則：労働安全衛生規則

4●災害統計等

テキスト第4章第1節

問題 **36** 解答

H27後

正解 オ

ポイント 労働災害の度数率と強度率についての理解を問う。

解説

度数率＝死傷者数÷延べ実労働時間数×1,000,000

強度率＝延べ労働損失日数÷延べ実労働時間数×1,000

したがって、オが正解。

1 ● 労働安全衛生法の体系等の概要　　　テキスト第4章第2節

 解答　　　　　　　　　　　　　　　　　　　

正　解　エ

ポイント　「法―政令―省令」の概要及び労働安全衛生法令の体系と構成についての基礎知識を問う。

解　説

ア．適切。安衛法の体系は下図となる。

イ．適切。同上。

ウ．適切。同上。

労働安全衛生法の体系

労働安全衛生法		労働安全衛生法施行令
有機溶剤中毒予防規則		労働安全衛生規則
鉛中毒予防規則		ボイラー及び圧力容器安全規則
四アルキル鉛中毒予防規則		クレーン等安全規則
特定化学物質障害予防規則		ゴンドラ安全規則
高気圧作業安全衛生規則		電離放射線障害防止規則
酸素欠乏症等防止規則		事務所衛生基準規則
粉じん障害防止規則		石綿障害予防規則

エ．不適切。安衛法は労働基準法から分離した法律であるが、労働条件と労働災害が密接な関係にあり一体的に運用される。

オ．適切。一般に、法体系は以下に示す階層構造で構成されている。

　　　 法律 ― 政令 ― 省令 ― 告示 ― 通達

①法律：国会両院の議決により制定。

②政令：法律を実施するため内閣が制定。

③省令：法律もしくは政令を施行するため、又は法律もしくは政令の特別の委任に基づいて大臣が発令する法令。

④告示：公示（官報記載）を必要とする場合に大臣が発する。

⑤通達：大臣等が所管の諸機関及び職員に対して発する。

●参考文献

・武下尚憲「ひと目でわかる図説安衛法」労働調査会

S●安全衛生管理　＞　2●労働安全衛生法の概要

2●労働安全衛生法の目的と各章の構成　テキスト第4章第2節

 解答　　　　　　　　　　　　　　　　　　　H28前

正　解　　ア

ポイント　　労働安全衛生法についての基礎知識を問う。

解　説

ア．不適切。労働安全衛生法は労働基準法から分離独立したものであるが、賃金、労働時間等の一般労働条件が労働災害と密接な関係にあることより、労働基準法と一体的に運用される旨が明文化されている（安衛法第1章第1条）。

イ．適切。安衛法第1章第2条第1号。

ウ．適切。安衛法第4章。

エ．適切。安衛法第1章第3条第1項。

オ．適切。安衛法第11章第101条第1項。

S●安全衛生管理　＞　2●労働安全衛生法の概要

3●事業者等の講ずべき措置

テキスト第4章第2節

 解答

正　解　オ

ポイント　労働者への危険を防止するため、事業者が講じなければならない必要な措置についての基礎知識を問う。

解　説

ア．該当する。安衛法第20条第1号。

イ．該当する。安衛法第20条第2号。

ウ．該当する。安衛法第20条第3号。

エ．該当する。安衛法第21条第2項。

オ．該当しない。地震、津波等自然災害による危険防止措置は規定されていない。

1●労働安全衛生法に定める機械等の規制　テキスト第4章第3節

解答　　　　　　　　　　　　　　　　　　　

正　解　　オ

ポイント　　特定自主検査についての基礎知識を問う。

解　説

ア．適切。安衛令第15条第2項。

イ．適切。安衛令第15条第2項。

ウ．適切。安衛則第151条の23ほか。

エ．適切。安衛則第151条の24ほか。

オ．不適切。特定自主検査は、その使用する労働者で所定の資格を有する者、又は特定自主検査業者に実施させなければならない（安衛法第45条第2項）。

1●労働安全衛生法に定める労働者の就業にあたっての措置 テキスト第4章第4節

 解答

正　解　オ

ポイント　人的安全化の第1歩ともいうべき安全衛生教育についての基礎知識を問う。

解　説

ア．適切。パートタイマー、アルバイトを含む労働者を雇い入れたときは遅滞なく、次の事項のうち、その従事する業務に関する安全衛生のための必要な事項について教育を行わなければならない（安衛法第59条第1項）。

イ．適切。安衛法第59条第2項。

ウ．適切。危険又は有害な業務に労働者を従事させるときは、安全衛生の特別教育を行い、受講者・科目等の教育記録を作成し3年間保存しなければならない（安衛法第59条第3項、安衛則第36条）。

エ．適切。事業者は、次に掲げる危険有害業務従事者に対し、その従事業務に関する安全衛生水準向上教育を「危険有害業務従事者に対する教育指針」に基づき実施するよう努めなければならない（安衛法第60条の2）。
　①　就業制限に係る業務従事者
　②　特別教育を必要とする業務従事者
　③　就業制限及び特別教育対象業務に準ずる危険有害業務従事者

オ．不適切。安全衛生委員会の委員に対する安全衛生教育の義務はない。

 解答

正　解　エ

ポイント　安全衛生教育など労働者の就業にあたっての必要措置についての基礎知識を問う。

解　説

ア．適切。安衛法第59条、安衛法第2条第2号。

イ．適切。安衛法第60条。

ウ．適切。安衛法第61条。

エ．不適切。吊り上げ荷重1トン以上のクレーン玉掛け業務は、法第61条（就業制限）の該当業務であり、特別教育でなく玉掛け技能講習修了が必要である。

オ．適切。安衛法第60条の2。

Ⅰ●環境管理 ＞ 1●環境問題の歴史的経緯と環境基本法

4●環境基本法と関連法規制

テキスト第5章第1節

問題 **43** 解答

H29前

正　解　ウ

ポイント　環境基本法の基本理念についての基礎知識を問う。

解　説

ア．適切。環境基本法第5条。

イ．適切。環境基本法第3条。

ウ．不適切。環境基本計画の作成のことであり、基本理念ではない。

エ．適切。環境基本法第3条。

オ．適切。環境基本法第4条。

T●環境管理　＞　2●公害防止対策

2●水質汚濁とその対策　　　テキスト第5章第2節

問題 **44** 解答　　　　　　　　　　　H28後

正　解　　エ

ポイント　水質汚濁防止法の運用についての理解を問う。

解　説

ア．適切。第7次水質総量規制　環境省報道発表資料（平成23年6月14日）
　第7次水質総量規制では、CODに加え、全窒素・全りんの3成分に対し
　て削減目標量が定められた。

イ．適切。水質汚濁防止法施行規則第9条。

ウ．適切。水質汚濁防止法第4条の5。

エ．不適切。国ではなく都道府県知事に届け出る。水質汚濁防止法第14条の
　2。

オ．適切。水質汚濁防止法第5条、第7条。

●参考文献

・環境省「化学的酸素要求量、窒素含有量及びりん含有量に係る総量削減基本方針の策
　定について」（平成23年6月14日報道発表資料）

T●環境管理 ＞ 2●公害防止対策

4●騒音・振動とその対策

テキスト第5章第2節

問題
45 解答

H29前

正 解 ウ

ポイント 騒音規制法の内容についての理解を問う。

解 説

ア．適切。騒音規制法第19条。

イ．適切。騒音規制法第2条第1項、第2項。同法第3条第1項。騒音規制法施行令別表第一。

ウ．不適切。騒音規制法第16条。定めるのは、都道府県知事ではなく環境大臣である。

エ．適切。騒音規制法第28条。

オ．適切。騒音規制法第2条第3項。同法第3条第1項。騒音規制法施行令別表第二。

1 ● 環境保全の維持と改善　　テキスト第５章第３節

問題 **46** 解答　　H27後

| 正　解 | イ |

ポイント　環境の緊急事態発生時の対応についての基礎知識を問う。

解　説

ア．適切。事前準備①を参照。

イ．不適切。緊急事態発生時には、はじめに応急処置を実施する。

ウ．適切。事前準備③を参照。

エ．適切。事前準備④を参照。

オ．適切。緊急事態発生への対応③を参照。

　地震や火災、事故・トラブル等が原因で、例えば有害物質が漏えいするといった緊急事態が発生した場合の対応について、以下のような行動手順を決めておくことが大切である。

＜緊急事態発生への対応＞

①応急処置の実施

②必要箇所への連絡（社内・社外）・応援動員

③近隣への広報・避難誘導

④事故鎮圧・復旧のための措置

⑤原因究明・再発防止対策の実施

＜事前準備＞

これらの対応には、次の事前準備が必要である。

①緊急事態の想定（地震、火災、故障、誤操作など）

②マップの作成（設備配置図や危険物の配置図を準備し、消防や警察と共有）

③資料の整備（化学物質や危険物の物質安全性データなど）

④緊急訓練の実施

●参考文献

・「東京都環境マネジメントシステム緊急事態対応要領」

・「大分県環境事故及び緊急事態対応要領」

T●環境管理　＞　4●循環型社会をめざして

1● 廃棄物とリサイクル　　　　　　　テキスト第5章第4節

問題 **47** 解答　　　　　　　　　　　　　　　　　　H29後

正　解　ウ

ポイント　循環型社会についての理解を問う。

解　説

循環型社会形成推進基本法では、資源をできるだけ有効利用するためにリデュース（Reduce）・リユース（Reuse）・リサイクル（Recycle）を「3R」とし、循環資源の利用に際しては、原則として次の優先順序で処理されなければならないとしている。設問の1はRecycle、2はReduce、3はReuseと分類されるので「ウ」が適切。

①廃棄物等の発生抑制（リデュース）

　原材料が効率的に利用され、製品がなるべく長期間使用されること。

②再使用（リユース）

　循環製品を製品としてそのまま（又は修理して）使用すること。

③再生利用（マテリアルリサイクル）

　循環製品を原材料として利用すること。

④熱回収（サーマルリサイクル）

　循環製品を燃料として利用すること。

⑤適正処分

　循環的な利用や処分は、環境保全上の支障がないように適正に行うこと。

したがって、ウが正解。

問題 **48** 解答　　　　　　　　　　　　　　　H25後

正　解　オ

ポイント　廃棄物とリサイクルについての基礎知識を問う。

解　説

ア．適切。循環型社会形成推進基本法では、資源をできるだけ有効利用するためにリデュース（Reduce）・リユース（Reuse）・リサイクル（Recycle）を「3R」としている。

イ．適切。燃料及びこれを熱源とする熱及び電気の使用料が、原油換算3,000kl以上で、これに応じた所定の手続きで指定された工場を第一種エネルギー管理指定工場といい、年度の使用量が原油換算1,500kl以上3,000kl未満で、これに応じた所定の手続きで指定された工場を第二種エネルギー管理指定工場という。

ウ．適切。「循環型社会形成推進基本法」の基に、廃棄物の適正処理のための「廃棄物処理法」やリサイクルの推進のための「資源有効利用促進法」が位置づけされ、さらに家電などの個別物品の各種リサイクル法が制定されている。

エ．適切。「工場等におけるエネルギーの使用の合理化に関する事業者の判断の基準」が告示されている。

オ．不適切。PRTR法は、人の健康や生態系に有害な影響を与える恐れがある化学物質の環境への汚染を防止するために制定された。

●参考文献等

・循環型社会形成推進基本法

T●環境管理　＞　6●企業の社会的責任

1●CSRとは

問題 **49** 解答

H28前

正　解　エ

ポイント　企業の社会的責任についての基礎知識を問う。

解　説

ア．適切。法律を守ることは最低限必要なことであるが、自主的取り組みとして「環境マネジメントシステム」、「品質マネジメントシステム」、「労働安全衛生マネジメントシステム」などの導入も含まれる。

イ．適切。具体的には、利害関係者（ステークホルダー）とのコミュニケーションが大切である。

ウ．適切。法令（法律、政令、省令、条例など）は改定されるので、常に新しいものを参照する必要がある。

エ．不適切。環境会計は、自社の環境に関わる費用と効果を定量的に把握、分析し、公表する仕組みであり、環境省へ報告することは要求されていない。

オ．適切。ステークホルダーには顧客、取引先、株主、従業員、近隣住民などが含まれる。

T●環境管理 ＞ 6●企業の社会的責任

3●環境報告書と環境会計

問題
50 解答

H27後

| 正 解 | イ |

| ポイント | 環境会計についての基礎知識を問う。 |

解 説

環境会計とは、（A：事業活動）における環境保全のための（B：コスト）とその活動で得られた（C：財務面）と環境面の効果を把握し、可能な限り定量的に測定・（D：伝達）する仕組みである。

したがって、イが正解。

●編著
ビジネス・キャリア®検定試験研究会

●監修
渡邉　一衛
成蹊大学　名誉教授

・本書掲載の試験問題及び解答の内容についてのお問い合わせには、一切応じられませんのでご了承ください。
・その他についてのお問い合わせは、電話ではお受けしておりません。お問い合わせの場合は、内容、住所、氏名、電話番号、メールアドレス等を明記のうえ、郵送、FAX、メールにてお送りください。
・試験問題については、都合により一部編集しているものがあります。
・問題文及び解説文において適用されている法律等の名称や規定は、出題時以降に改正され、それに伴い正解や解説の内容も変わる場合があります。

ビジネス・キャリア®検定試験過去問題集 解説付き
生産管理オペレーション　2級

初版1刷——— 令和元年9月
初版2刷——— 令和4年12月

編著————— ビジネス・キャリア®検定試験研究会
監修————— 渡邉　一衛
発行————— 一般社団法人 雇用問題研究会

〒103-0002　東京都中央区日本橋馬喰町1-14-5　日本橋Kビル2階
TEL　03-5651-7071
FAX　03-5651-7077
URL　http://www.koyoerc.or.jp

ISBN978-4-87563-708-0